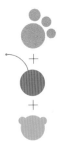

杨红樱，中国当代具有广泛影响力的儿童文学作家，曾做过小学老师、童书编辑，被中宣部评为"全国宣传文化系统'四个一批'人才"，被中央精神文明建设指导委员会评为"第一届全国未成年人思想道德建设先进工作者"，获中宣部、国务院新闻办公室授予的"讲好中国故事文化交流使者"称号，享受国务院政府特殊津贴。

19 岁开始发表儿童文学作品，现已出版童话、儿童小说、散文八十余种。已成为畅销品牌图书的系列有："杨红樱童话系列""杨红樱成长小说系列""淘气包马小跳系列""笑猫日记"系列。其作品总销量超过 1 亿册。作品被译成英、法、德、韩、泰、越等多种语言在全球出版发行。

在作品中坚持"教育应该把人性关怀放在首位"的理念，在中小学产生了广泛的影响，多次被少年儿童评为"心中最喜爱的作家"。

获 2014 年国际安徒生奖提名。

"笑猫日记"系列，获世界知识产权组织版权金奖、第二届中华优秀出版物图书奖，连续三次荣获全国年度最佳少儿文学读物奖。《笑猫日记·那个黑色的下午》获第二届中国出版政府奖图书奖。

马小跳的表妹杜真子有一只猫，他会笑。还记得吗？

杨红樱 著

笑猫日记

明天出版社

想变成人的猴子

Xiang Biancheng
Ren de Houzi

目录

初夏的一天，
我终于被杜真子的妈妈赶出了家门。
都是老老鼠惹的祸。

我来到了老老鼠的绿岛夏宫。
走进夏宫，就走进了夏日里一个又一个的故事中。

一只受人虐待的猴子和我成了朋友。
我们分享着黎明前这神秘而宁静的时刻。

我和猴子来到了马小跳的家。
从此，猴子一门心思地想变成人。

可是，猴子真正的家在大山的深处啊！
当他醒来时，还会不会感到孤单？
我、猴子，还有杜真子、马小跳他们，
留在这个夏日里的记忆，会不会消失？

角色档案

性格特征

很多的心情，这只猫都是用笑来表达的。他会微笑、狂笑、冷笑、狞笑、嘲笑、苦笑，还会皮笑肉不笑。笑猫是一只有思想的猫，相信性格决定命运。他喜欢观察人，也能听懂人说的话。

最爱的人

一个是杜真子，另一个是马小跳。

笑猫

疯丫头
杜真子

性格特征

她和表哥马小跳见面会吵架，分开会想念。她是一个长着一张猫脸的"小女巫"，是笑猫在这个世界上最爱的人。她会成语接龙，会演白雪公主，还会做土豆沙拉。她可以把男孩子们指挥得团团转，让他们都崇拜她。

兴趣爱好

天天和笑猫待在一起。

猴子

性格特征

异常执著地想变成人。他被坏人从深山老林偷到城里，成了坏人赚钱的工具。在马小跳的家里，他喜欢上了人的生活，一门心思地想变成人，做出了一系列令人啼笑皆非的事情。

最喜欢的人

毛超。

性格特征

见钱眼开的坏老头儿，一个没有良心的人。他把猴子从深山老林偷到城里，逼着猴子在公园里为他卖艺赚钱，还狠心地虐待猴子。

最大的外貌特征

他的两个眼珠子都紧贴着鼻梁。马小跳、毛超他们和他吵架时，常常不知道他的眼睛看的是谁，也不知道他在和谁说话。

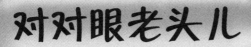

对对眼老头儿

地包天

性格特征

一只性格很好的京巴狗。她喜欢交际，见谁都挺亲热。她还喜欢吃甜蒜，嘴里总有一股蒜味儿。她从来不乘电梯，总是担心万一停电了，被关在电梯里怎么办……

最崇拜的偶像

笑猫。

性格特征

心里有话不说出来会憋得难受，但有一个秘密他不会告诉任何人，那就是他在上幼儿园时，曾经狂热地崇拜过他现在的同桌冤家。他对朋友赤胆忠心，却经常遭到朋友的背叛。他大错不犯，小错不断，站办公室的时候垂头丧气，出办公室的时候欢天喜地。他最怕笑猫对他冷笑

兴趣爱好

太多。常变。唯一不变的是对弱小动物的热爱。

淘气包
马小跳

老老鼠

性格特征

一只老得不知活了多久的老鼠，翠湖公园里所有的老鼠都是他的子子孙孙。他是一个哲学家，也是一个幽默大师，很狡猾，但还有一点点良心。他不算好老鼠，也不算坏老鼠，是介于好老鼠和坏老鼠之间的不好不坏的老鼠。

最爱说的一句话

"对猫没有研究，我能活到今天这把年纪吗？"

企鹅
唐飞

性格特征

不折不扣的小气鬼。他怕人家要他的东西吃，就带钢珠到学校来吃。信不信由你。

兴趣爱好

除了吃，还是吃。

废话大王

毛超

性格特征

嘴巴闲不住，说十箩筐话，有九箩筐都是废话。

兴趣爱好

打探情报，散布小道消息。

嘴巴大，舌头也大，说话
结结巴巴，含含糊糊，所
以他干脆不说话。他喜欢
动手不动口，吵架他要输，
打架他会赢。

兴趣爱好

跟汽车赛跑。

河马
张达

安静
！

被赶出了家门

那一天 | 天气：早晚凉，中午热，是典型的暮春初夏的天气。地上的草、树上的叶，都在使劲地疯长。

我终于被杜真子的妈妈赶出了家门。

都是被老老鼠害的。我警告过他很多次，千万别到家里来找我，如果非来不可，也只能趁我家的女主人——杜真子的妈妈不在家的时候来。可倒霉的老老鼠，他一共才来过两次，两次都撞上了杜真子的妈妈。上一次，他还在杜真子妈妈的脚背上跳了几下；这一次，他又从杜真子妈妈的脚背上跑过去。杜真子的妈妈暴跳如雷。她不能容忍家里养着一只猫，老鼠还敢

找上门。她骂了许多难听的话，我的自尊心大大地被伤害了。如果我再不离开这个家，那么我还有什么脸活在这个世界上？

杜真子如果知道我被赶出了家，她会伤心死的。为了我，她经常和她的妈妈吵得天翻地覆，也许我消失后，杜真子和她妈妈的关系会有所改善，说不定，坏事也就变成了好事。

我遇事想得开，而且喜欢往好的方面想，是一只具有乐观精神的猫。刚才还十分沮丧的我，现在已经在思考怎样开始我的新生活。

走在我身边的老老鼠却是一副若无其事的样子，一点也没有因为连累我而内疚。

"听说，他们人类最爱说的一句话是：'动物是人类最好的朋友。'可是，那个女人把我当朋友了吗？怎么可以这个样子！"

我说："人类还是把我们猫当朋友的，但从来没有把你们老鼠当朋友。人类还爱说的一句话是：'老鼠过街，人人喊打。'"

"这不是出尔反尔、自相矛盾吗？"老老鼠的逻辑思维能力特别强，"他们明明说动物是人类最好的朋友。难道我们老鼠不是动物吗？"

　　"动物也有好坏之分。"我说，"人类把老鼠看成坏动物，因为你们老干坏事。"

　　"老鼠也分坏老鼠和好老鼠。比如我，就是好老鼠。"老老鼠大言不惭，"也许我在年轻的时候，也干过一些损人利己的勾当，比如，偷粮食，咬家具，到人家床底下铺窝生儿育女……但自从我上了年纪，就经常反省自己，现在我基本上能做到洁身自好。如果我不是好老鼠，你笑猫老弟也不会跟我做朋友，是不是？"

　　我不能说老老鼠是好老鼠，但他至少不是坏老鼠，他是介于好老鼠和坏老鼠之间的老鼠。

　　我怎样来开始我的新生活呢？首先，我要解决住的问题和吃的问题。我已经告别了以前的生活，而以前恰好就是吃和住都没有问题。

　　"翠湖公园那么大，难道还没有你住的地方？笑

猫老弟，你放心，我会给你找个地方住。"老老鼠大包大揽，"吃的问题也不难解决。超市里有的东西，垃圾桶里都有，你想吃什么就有什么。如果你想吃生猛海鲜，翠湖里的鱼拥挤不堪，你随便吃……"

我想跟老老鼠开个玩笑："老鼠也很生猛，我是不是可以随便吃呢？"

"别！千万不要吃公园里的老鼠。"老老鼠两只前爪抱在一起，给我作揖，"笑猫老弟，公园里所有的老鼠都跟我有血缘关系，他们都是我的子子孙孙。你吃他们跟吃我有什么区别呢？"

其实，我从来没有吃过老鼠。小时候，我经常看我妈妈吃老鼠，也见过别的猫吃老鼠，都让我觉得恶心。我一直喜欢吃人的食物，这也许正是我的思维跟人的思维比较接近，对人的语言我也能无师自通的原因吧。

"狗改不了吃屎，猫改不了吃耗子。我怎么聪明一世，糊涂一时呢！"

看着老老鼠追悔莫及的样子，我笑得十分开心。我说："你这个'狗改不了吃屎'的观念也太老了。你见过京巴狗、贵妇狗和斑点狗吃屎吗？"

虽然，老老鼠不乏幽默感，但是对于我刚才跟他开玩笑的那些话，他还是当真了。他要和我谈条件："笑猫老弟，你只要发誓不吃公园里的老鼠，我就把我的夏宫让给你住。"

"夏宫是什么东西？"

"夏宫不是东西，夏宫是夏天住的地方。"老老鼠说，"春、夏、秋、冬，我都有不同的住所。"

没想到老老鼠的生活如此讲究。我很想看看老老鼠的夏宫是什么样子的。

"你必须先发誓，我才能带你去。"

这就是老老鼠的生存原则——不轻易相信别人，并且知道妥协。这样的处世态度，才使他活到今天这把年纪，活成了老鼠精。

我举起右爪子，郑重其事地发誓："我决不吃公园里的老鼠。"

老老鼠长长地舒了一口气，他放心了，带着我直奔夏宫。

我以为夏宫会在一个隐秘的地方，没想到，它原来就在伸进翠湖的绿岛上。这个绿岛是一座与湖岸相连的人造假山，就像一个绿色的半岛。假山上面长满了藤蔓，山体里面却是空的。夏天来了，长势迅猛的藤蔓垂挂下来，把山洞遮蔽得严严实实，这个秘密山洞就成了老老鼠的阴凉的夏宫。

不得不承认，老老鼠挺会找地方的，也挺会享受的。

对夏宫，我一见钟情。我肯定比老老鼠更爱这座夏宫。我再次向他保证："我不会吃这个公园里的任何一只老鼠。"

老老鼠不知道我从来不吃老鼠，他被我的誓言感动得说不出话来，给了我一个真诚的拥抱。此时此刻，我觉得我不够真诚，至少不如老老鼠真诚，他的那份对子子孙孙的爱与呵护，是绝对真诚的。

老老鼠忍痛割爱，我怕他反悔，恨不得叫他立个字据，再盖上他的爪印。

"笑猫老弟，你还不相信我？这座夏宫已经属于你了！"

老老鼠走后，我走进属于我的夏宫。洞里一点也不暗，空气清新，有阳光透过垂挂在洞口的藤蔓射进来。洞里十分宽敞，如果杜真子要来和我一起住，里面可以放得下一张小床；如果马小跳和唐飞、毛超、张达要来玩儿，里面还放得下几把椅子。我最喜欢的是垂挂在洞口的那些藤蔓，它们就像挂在洞口的帘子，从洞里能看见洞外，而在洞外却看不见里面。

我待在洞里，隔着藤蔓看湖水的颜色：由绿变红，那是天上的晚霞倒映在湖面上；由红变紫，那是晚霞在消失；由紫变墨绿，那是天黑了。

绿岛夏宫

第二天 | 天气：看不见太阳在哪里，空气却是热烘烘的，让人以为要下雨。到了晚上，月亮却出来了。

　　昨晚，在夏宫里度过的第一个夜晚并不美好。我翻来覆去，怎么也睡不着。我想杜真子。以前，每天晚上临睡前，穿着白底小红花睡裙的杜真子都会跟我说一会儿话，然后用双手捧着我的脸，在我的脑门儿上吻一下，对我说声"晚安"。我会一直看着杜真子钻进被窝，看着她闭上双眼，听着她的呼吸声，然后趴在她的枕边，和她一起入睡。没有杜真子在我的身边，我睡不着。没有我在她的身边，杜真子能睡着吗？

一大早，我就跑到往常我和京巴狗地包天来翠湖公园的那条必经之路上，等候地包天。我相信我会从她那里，打听到杜真子的消息。

不一会儿，我就看见地包天来了。她没精打采的，我想这一定是因为我突然失踪的缘故。

"猫哥，我都不想活了！"

地包天一见到我就扑了上来，紧紧地抱住我。我闻到了她嘴里的糖蒜味儿。

"对不起，猫哥，我知道你讨厌蒜味儿，但是我以为我见不到你了，所以今天吃了糖蒜后，没有漱口，也没有嚼口香糖……"

地包天喋喋不休地说着，可是我一句也没有听进去，我现在只想知道杜真子的消息。

"猫哥，我知道你跑到这里来等我，并不是因为你想我，而是因为你想杜真子。"

地包天这时显得一点也不笨。在这个世界上，最懂我的除了杜真子，就是地包天了。

"快告诉我，杜真子……"

"她到处找你，但是找不到你，她就到我家来找我。我听不懂她的话。我猜她是在问你在哪儿？我怎么知道你在哪儿？你又没有告诉我。我带着杜真子，找遍了所有你可能去的地方，都没找到你，杜真子就哭着回家了。"

"杜真子真的哭了吗？"

"当然哭了！她的眼泪哗哗地流下来，像下雨一样。"

我不能让爱我的人这么伤心，我要马上去找杜真子，让她看见我好好的，这样她就可以开心起来。

我朝杜真子的学校跑去。

"猫哥，你要去哪儿？"地包天跟在我的身后，"我们不去公园吗？"

"我们去杜真子的学校。"

"你知道杜真子的学校在哪里吗？"

我当然知道。曾经有很多次，我跟在杜真子的后面，悄悄地护送她去上学；曾经有很多次，我等候在学校门口，接杜真子回家。

过了两个有红绿灯的路口，穿过三条小巷，就到了杜真子的学校。学校有了一些变化：原来的围墙拆掉了，换成了铁艺栅栏，栅栏里面栽的花草都把身子伸到栅栏外，于是，本来没有生命的铁栅栏便成了有生命的花墙。

学校里看门的老头儿很凶，有几次我在学校门口等杜真子，他都跑来轰我走。不过，现在不用怕他了，我和地包天轻而易举地钻进了栅栏里，而且还有茂密的花草掩护着我们。

下课铃声响了，安静的校园顿时热闹起来，孩子们都从教室里出来了。

"杜真子呢？我怎么没有看见杜真子？"地包天探头探脑，不停地东张西望，"我怎么没有看见杜真子？"

我看见杜真子了。她不在操场上，也不在走廊上，她在那座教学大楼的楼顶上。

地包天紧张了："她为什么要跑到那么高的地方去？"

我想杜真子还在寻找我。站得高，看得远。站在

楼顶上，整座城市都会尽收眼底。可她哪里知道，我就在她的学校里，离她这么近！

终于等到下午放学了。

杜真子从教学楼里走了出来。她没有跟别的女孩成群结队地走在一起，也没有和她们说说笑笑。她的眼神很忧伤，她的脚步很沉重。

我飞一般地朝杜真子跑去。

"啊，笑猫！"杜真子把我抱起来，她的脸紧贴着我的脸，她的泪水沾湿了我的脸，"你到哪儿去了？我到处找你……"

我也有好多话想对杜真子讲。可是，我能听懂她的话，她却听不懂我的话。

杜真子的同学们都围了上来，对我评头论足。

"杜真子，这只猫就是你说的那只会笑的猫吗？"

"可是，看不出这只猫会笑啊！"

"我也觉得这只猫跟一般的猫没有什么区别。"

"这只猫怎么跟杜真子长得那么像啊？你看眼睛，还有脸形，简直一模一样。"

"杜真子，这只猫真的会笑吗？"

"肯定不会笑。杜真子骗人的。"

……

我不能容忍别人这么诬蔑杜真子，我必须笑给他们看。我的脸上绽放出笑容来，是那种能迷倒所有人的笑。

"哇——"女孩子们一阵惊呼，"这只猫真的会笑耶！"

有一个女孩子说得更夸张："我见到了世界上最美丽的微笑！"

杜真子把我抱得紧紧的，生怕我再离开她。

"笑猫，快跟我回家！"

不可以！我不可以跟杜真子回家。她的妈妈已经把我赶出了家门，如果杜真子再把我带回家，她的妈妈一定会跟她拼命的。

我从杜真子的怀抱里挣脱出来，朝翠湖公园跑去，我要把杜真子带到我的夏宫，让她看看我住的地方。我想：她也会爱上那个伸向湖水中的绿岛，爱上夏宫的。

我在前边跑，杜真子在后边追。跑进翠湖公园，跑到那个伸进翠湖里的绿岛后，我钻进了我的夏宫——
那个被藤蔓遮蔽的山洞。

"笑猫！笑猫！你在哪里？"

我突然失踪，这又让杜真子着急起来。

我叫了两声。

山洞外传来一阵窸窸窣窣的响声，我知道，这是
杜真子拽着藤蔓找来了。

我又叫了两声。

聪明的杜真子撩开那些垂挂在洞口的藤蔓，她看
见了一个山洞，她看见我就在山洞里面。

杜真子进到山洞里来，惊喜无比："笑猫，这是
你住的地方吗？这样的山洞，只有童话里才有！"

看得出来，杜真子也非常喜欢我的夏宫。她不再
坚持要我跟她回家。

"我会经常来看你的。"杜真子兴奋极了，"我可
以带马小跳来吗？"

我笑了。我早就知道，杜真子来过我的夏宫后，
她一定会把马小跳也带来。

秘密山洞

过几天

天气：今天是二十四节气中的"夏至"。真正的夏天就是从这一天开始的。这是一年中白天最长、黑夜最短的一天。

京巴狗地包天一直夸我有一个奇异的功能——料事如神。自从杜真子来过我的夏宫后，我就料想在周末，她一定会把马小跳带来，因为他们俩不在一个学校读书，只有在周末才能见面。今天是星期六，杜真子果然把马小跳带来了。我还料想，杜真子不会轻易地让马小跳知道我住的地方，她一定要把马小跳折磨一番。看来，果然是这样。杜真子已经把马小跳带到绿岛上来了，我都能听见他们俩在我的头顶上说话。

杜真子："笑猫就住在这个公园里，你自己去找吧！"

马小跳："公园这么大，我怎么找？"

杜真子："我帮你把范围缩小一点：笑猫住在一个山洞里。"

马小跳："你怎么不早说？"

杜真子："我现在说也不晚。我在这里等你，你找到了就来告诉我。"

我听到一阵急促的脚步声，这肯定是马小跳在跑。

等马小跳跑远了，杜真子轻声唤我："笑猫，你在洞里吗？"

我叫了一声。

杜真子到洞里来了。她的手里提着一个纸袋，她从纸袋里拿出牛肉干、杏仁巧克力、卤鸡心，还有樱桃番茄，摆在我的面前。

"快吃吧！这些都是马小跳给你带来的。"

这些东西都是我最喜欢吃的。马小跳真好！我在心里有点埋怨杜真子。她为什么总是折磨马小跳呢？

杜真子慌慌张张的，她一心要捉弄马小跳："笑猫，你千万别出声，不然就被马小跳发现了。"

杜真子出了山洞，又到外面去等马小跳。

过了一会儿，我又听见一阵急促的脚步声，这肯定还是马小跳。

杜真子："马小跳，你找到了吗？"

马小跳："杜真子，你是不是在骗我？"

杜真子："我怎么会骗你呢？你看，你给笑猫带来的东西，我都拿去给他吃了。"

马小跳："这么说，这个山洞就在附近？"

杜真子："远在天边，近在眼前。"

马小跳又开始在我的头顶上跑来跑去地找。我真想大叫一声，告诉马小跳，我就在他脚底下的山洞里。

头顶上的声音渐渐地小了，马小跳离我越来越远。

我听见杜真子得意地笑了："笑猫，你看马小跳真傻！"

垂挂在洞口的藤蔓越长越密，透过细小的缝隙，从洞里能看见洞外，在洞外却看不见洞里。我看见马小跳

在翠湖的对岸东张西望，他真的是被杜真子逗傻了。像他这样，要找到什么时候，才能找到我！

马小跳又跑回来了。

马小跳："杜真子，我怀疑你在编故事，你说的那个山洞根本就不存在。"

杜真子："马小跳，你真笨！我现在就来给你形容一下笑猫住的山洞的样子：这个山洞就在湖边，被绿色的植物覆盖着，洞口面对着湖水，你根本看不见这个山洞的洞口在哪里，因为它被绿色的植物遮住了。"

我又听见马小跳的脚步声，但没有刚才那么急促，我能想象得出马小跳正沿着湖边，在仔细寻找杜真子描述的山洞。

我心里着急：马小跳，你可千万别走远，我就在你的身边啊！可马小跳还是越走越远。

杜真子又得意地笑了："笑猫，你说马小跳是不是真的很笨？"

我不得不在心里承认：马小跳真的很笨。

我又看见马小跳了。他又跑到了绿岛夏宫的对面——翠湖的对岸。他不再东张西望，他在朝我这里看。当然，我在洞里，他是看不见我的。我真想撩开藤蔓，把脑袋露在外面，再向马小跳挥挥爪子。但是，理智终于战胜了情感，如果那样做了，我就背叛了杜真子。

马小跳一直盯着绿岛，仔细地寻找着。我相信他已经看出来了，他注视的地方，跟杜真子描述的山洞一模一样。

马小跳奔跑起来，朝着绿岛夏宫跑来。

马小跳离我越来越近，我已经能听见他奔跑的脚步声了。

杜真子："马小跳，你要干什么？"

马小跳："让开！"

又是一阵窸窸窣窣的响声，我知道这是马小跳拽着藤蔓下到了山脚。

一道强烈的光射进洞里，马小跳撩开藤蔓，出现在我的面前："笑猫！"

我扑向马小跳，他一把将我抱了起来。看得出来，

马小跳很喜欢我的夏宫。

"我做梦都想有一个这样的秘密山洞。"马小跳说，"杜真子，你怎么给笑猫找到这个山洞的？"

"是笑猫自己找的。"

我很想告诉他们，这个秘密山洞是老老鼠的夏宫。如果杜真子和马小跳能听懂我的话，他们不知会惊讶成什么样子。

"如果唐飞他们知道有这么一个秘密山洞……"

"马小跳！"杜真子朝马小跳大喝一声，"不许你把这个秘密山洞告诉唐飞他们。"

"你这样对唐飞是不公平的。"马小跳做出一副很公平的样子，"人家唐飞对你可是什么都不隐瞒，什么事情都想着你。上次我发现的那个巨人的城堡，本来是我们四个人的秘密，还是唐飞最先把这个秘密告诉你的。"

我也觉得唐飞对杜真子好。如果马小跳对杜真子的好能赶上唐飞的一半，我会更喜欢马小跳。

"那就告诉唐飞吧。但是……"杜真子警告马小跳，"除了唐飞，你不许再告诉任何人。"

"那可不行！"马小跳的态度十分坚决，"告诉了唐飞，就必须告诉毛超和张达。你知道我们四个人是什么关系吗？是朋友加兄弟的关系，是牢不可破的关系。"

"你如果再告诉他们俩，那么这个山洞就不再是秘密的了。"

"怎么会呢？"

"怎么不会？"杜真子说，"毛超是最管不住自己嘴巴的人，他还不把这个秘密山洞拿出去到处宣扬？再说张达，他会跑去告诉你们班那个跳芭蕾舞的夏林果，夏林果又会跑去告诉你们班的中队长路曼曼，路曼曼又会跑去告诉你们班的班主任秦老师。这下，大家都知道了。这个秘密山洞不就暴露了吗？"

马小跳傻了，这样的后果的确不堪设想。我也害怕了，如果真的像杜真子说的那样，我就会失去我心爱的夏宫，而且还对不起把这个夏宫让给我的老老鼠。

马小跳被跟踪

天气：不时有凉风吹过，蓝得透明的天空中，布满了鱼鳞般的云。很少见到这么美丽的天空。

马小跳和杜真子已经有好几天没来看我了。快要放暑假了，他们都在忙着参加期末考试。算算日子，今天下午他们就会考完最后一门功课。我想：我今天的期待不会落空。

京巴狗地包天每天早晨来，傍晚走，天天如此。每天她闯进我的秘密山洞时，都会有"早间新闻"告诉我。她今天报的新闻，我认为不是新闻。

"猫哥，你知道今天才算是到了夏天吗？"

"为什么今天才算是到了夏天？早就到夏天了。"

"我带你去看看，你就会相信的。"

我跟着地包天，跳过锦鲤鱼池上的梅花桩，来到了一个绿色的长廊。这个长廊真是一天一个样。前几天我到这儿来的时候，长廊架上的葡萄叶只比我的爪子大一点，所以阳光还能透过叶片之间的缝隙，洒下斑驳的光影。现在，葡萄叶差不多有小孩子的手掌那么大了，密密层层地铺在长廊的顶架上，已经透不进一丝阳光。

地包天问我："你看见没有？"

我说："我看见葡萄叶子长大了。"

"除了葡萄叶子，你还看见了什么？"地包天看我答不出来，便有些得意，"难道你没有看见葡萄结籽儿了吗？"

我立起身来，像人那样用两条后腿站立，仰着头仔细看了看，真的看见有青绿的、一团一团的葡萄籽儿藏在葡萄叶中间。葡萄籽儿很小很小，比绿豆还小。

"葡萄结籽儿的这一天，才算是到了夏天。葡萄

要经过整整一个夏天才能成熟。当葡萄可以吃的时候，夏天差不多就快结束了。"

地包天说得煞有介事，但是一点也不精确，我相信这完全是她的想象。地包天就有这样的本事——可以把自己的想象说得有根有据。

"还有一个事实，可以说明今天才算是到了夏天。"地包天一定要说服我，"你不是说今天马小跳和杜真子考完试后，就开始放暑假了吗？从放暑假的这一天起，夏天就算是开始了。暑假结束时，夏天也就结束了。"

地包天真是谬论多多。我要尽快结束跟她的这番关于夏天的讨论，回到山洞，等候杜真子和马小跳的到来。

下午，公园里的人渐渐多起来了，都是一些孩子，在学校里考完试后，就跑到公园里来玩了。地包天不停地嘀咕："杜真子和马小跳怎么还不来？"

我和地包天回到秘密山洞，透过挡住洞口的藤蔓间的缝隙向外望。湖面上波光粼粼，晃得我们的眼睛有点花。

"猫哥，那个穿短裙、长得像猫的女孩子，是不是杜真子？"

那个长得像猫的女孩子当然就是杜真子。她今天穿了一条很短的蓬蓬裙，手里提着一个袋子。

"我来猜猜，杜真子会给你带什么东西来。当然不会是糖蒜，糖蒜是我喜欢吃的东西。唉，你讨厌蒜味儿，我是不是应该为你把蒜戒掉？"

地包天还在一旁喋喋不休地自言自语时，杜真子已经来到了山洞。她第一句话就问："马小跳来了没有？"

当然，不用我们回答，她一看就知道马小跳还没来。

杜真子给我带来的是波罗蜜干儿，这是我最近才喜欢上的食物，甜中带酸，很脆，吃起来嘎嘣嘎嘣地响。

杜真子也像我和地包天一样，透过密密的藤蔓往外看。我知道，她是在等着马小跳的到来。

马小跳终于出现了。他的手里也提着一个袋子，正从湖的对岸匆匆忙忙地向我们这边走来。他的身后还有几个人，鬼鬼祟祟地跟着他。我认识这几个人：

一个是胖得像企鹅的唐飞，一个是瘦得像猴子的毛超，

还有一个是嘴巴大得像河马的张达。

　　"马小跳被跟踪了！"杜真子小声地警告我们，"你

们俩千万别出来。听见没有？"

　　杜真子离开了山洞。马小跳和跟踪他的唐飞、毛超、

张达，也不见了。

　　马小跳一点也不知道他被跟踪了。我似乎已经听见

了他匆匆忙忙的脚步声。

"猫哥，马小跳会带什么好吃的东西给你？"

"闭嘴！"

我不许地包天再唠叨。我在侧耳倾听外面的动静。

杜真子："马小跳！"

马小跳："你怎么不进去？"

杜真子压低了声音说："你被唐飞他们跟踪了！"

马小跳："不会吧，我已经把他们甩掉了。"

杜真子："我刚才在山洞里看见他们了。"

马小跳："在哪儿呢？他们在哪儿呢？"

我能想象得出，这时候，马小跳一定在东张西望。

杜真子："他们肯定都躲起来了。你站在这里别动，千万别进山洞，不然山洞就暴露了。"

马小跳："笑猫在吗？"

杜真子："在。"

马小跳："我给他带来了樱桃番茄。我给他送进去，马上就出来。"

杜真子："别动！他们来啦！"

接着，我听见几个人杂乱的脚步声。

"马小跳，你跑到这里来，原来是见你的表妹。作为好朋友，你觉得问心无愧吗？"

一听这啰里吧唆的声音，就知道这肯定是毛超。

"真搞……搞不懂你们……"

一听这结结巴巴的声音，就知道这肯定是张达。

"你们两个跑到公园里来见面，什么意思呀？"

一听这愤愤不平的声音，就知道这肯定是唐飞。

杜真子："唐飞，你说的话好奇怪！这公园是大家的公园，我为什么就不能在这里和马小跳见面？"

唐飞："马小跳，我们还是不是好朋友？你的表妹就是我们的表妹。你来公园见表妹，为什么要躲着我们？"

马小跳："我不是来见她的，我是……"

马小跳就要暴露秘密了，幸好杜真子打断了马小跳的话："马小跳，你就是来见我的。你怕什么？胆小鬼！我不想见你了，回家吧！"

我听见杜真子的脚步声渐渐地远去了。紧接着，我又听见一阵沉闷的脚步声，那肯定是唐飞在追赶杜真子。

"杜真子，你等等我！"

杜真子："马小跳，你还不快走！"

过了一会儿，我看见在湖的对岸，杜真子迈着大步在前面走，后面紧跟着唐飞、毛超、张达和马小跳。

"他们都走了。"地包天很失望，"这么大的山洞，只有我们俩，冷冷清清的。杜真子为什么不让那几个男孩子进来呢，本来可以热热闹闹的。"

我问地包天："你知道什么叫秘密吗？"

地包天说："秘密就是别人不知道的事情。"

我冲地包天神秘地笑了笑，说："这个山洞就是杜真子和马小跳两个人的秘密。杜真子不想让别人知道。"

杜真子和马小跳曾经当着我的面发过誓：要共同守住这个秘密。让我高兴的是，因为两个人的心中，藏着同一个秘密，所以杜真子和马小跳的关系，比以前好多了。

那个没有良心的人

第二天 | 天气：一连好多天也没有下雨了，树叶上蒙上了一层灰。清晨，洒了几滴雨，结果到深夜，才下了一阵小雨。

京巴狗地包天对我真够好的，每天早晨，她都会把她的早餐省下一半来给我吃。

吃早餐的时候，我喜欢把挡在洞口的藤蔓撩开一点，一边吃，一边欣赏翠湖的美景。

初夏是植物疯长的季节，树木葱茏，百花盛开。湖边的柳枝早已弯下来，垂到水面上，齐刷刷地把绿荫抛向水中。

"猫哥，你说湖边的柳树，像不像围在翠湖边的一道绿帘子？"

我却觉得它们更像杜真子的眼睫毛。

我说："你看那清亮的湖水，像不像杜真子明亮的眼睛？你再看湖边的柳枝，像不像杜真子又密又长的眼睫毛？"

吃过早餐，像往常一样，我和地包天出去散步。路过那个山坡——以前我最喜欢躺在上面，看塔顶上的虎皮猫的那个山坡，我看见山坡上的梨树枝头上，已经结了许多小小的梨。自从我心爱的虎皮猫从塔顶上消失后，我就再也不到这个山坡上来了。

"猫哥，我们快离开这个让你伤心的地方吧！"地包天又唠叨开了，"我知道，这个山坡会让你想起那只美丽的虎皮猫。可是，现在也不知道她在什么地方。唉，她也不能再回到塔顶上，因为塔顶上已经有一只金猫了，尽管这是一只人造假猫……咦，猫哥，桥上怎么有那么多人？是不是桥要断了……"

地包天又把我逗笑了。桥如果真要断了，那么还有那么多人站在桥上等着掉进水里吗？我不得不承

认：地包天真是一个幽默大师。

我和地包天都爱凑热闹，既然桥上那么热闹，我们肯定要去瞧一瞧。

挤进人群，原来大家都在看猴子。猴子站在一个老头儿的一只肩膀上，脖子上套着一条铁链。老头儿皱巴巴的一张瘦脸上，长了一双对对眼。他手握着一条鞭子，正扯着公鸭嗓子在嚷："过来看呀，过来瞧，猴儿有礼啦！"

对对眼抽了猴子一鞭子，猴子便把他的一只爪子放在眉头那里，算是给人们行礼了。

人们鼓起掌来。

对对眼又扯起公鸭嗓子喊："猴儿给大家抛飞吻啦！"

大家等着猴子的飞吻抛过来，可猴子木呆呆的，一副心不在焉的样子。

对对眼又狠狠地抽了猴子一鞭子，猴子立刻用爪子摸一下嘴巴，再向大家一挥，这就是抛飞吻。

人们哈哈大笑起来。

对对眼得意忘形，唾沫横飞地喊着："猴儿恭喜大家发财啦！恭喜发财！"

猴子还是一副木呆呆的样子。对对眼又狠狠地抽了猴子一鞭子，猴子才把两只前爪合在一起摇了几下。

对对眼把头上的帽子取下来，让猴子捧着，然后他带着猴子走向人群："有钱给钱，无钱免看！"

人们把钱扔在猴子捧着的帽子里。不一会儿，就收了一帽子的钱。对对眼的嘴巴都笑歪了，他把帽子里的钱倒在地上，数起来。对对眼把鞭子就放在猴子的身边，所以猴子不敢乱动，乖乖地待在一旁看着对对眼数钱。

这时，有人想和猴子照相，对对眼却向人家伸手要钱："和猴子照相可以，拿钱来！"

"多少钱？"

"十元。"

那人扔了十元钱给对对眼，对对眼就让那人抱着猴子照相。

他冲猴子恶狠狠地吼道："猴儿，高兴点！"

可猴子还是一副没精打采的样子。对对眼狠狠地抽了猴子三鞭子，猴子挤眉弄眼，两只眼睛飞快地眨着，强迫自己做出了高兴的样子。

要和猴子照相的人多起来了。不一会儿，对对眼的帽子里就装满了十元的钞票。

"啊，他发大财啦！"地包天问我，"十元钱是多少钱？"

我告诉她，十元钱能买一大袋奶油爆米花，能买一个香辣鸡腿汉堡包，能买一罐冰淇淋，还能买……算了，说多了会把地包天说糊涂的。

"啊，如果把帽子里的那些钱，拿去买奶油爆米花，会堆成一座大山；如果去买香辣鸡腿汉堡包，也会堆成一座小山；如果去买冰淇淋……如果去买我爱吃的糖蒜……"

我可没心思听地包天那么多的"如果"，我的心思都在猴子身上："这个人靠猴子赚了那么多钱，还打猴子，他是一个没有良心的人。"

那个没有良心的人，一边数钱，一边笑。趁他把注意力都集中在钱上，我和地包天悄悄地走近了猴子。

我小声地跟猴子打招呼："你好！"

猴子惊恐地眨着眼睛，不说话。

地包天在我的耳边悄悄地说："猫哥，他是不是听不懂你的话？"

"我们动物界的语言是相通的。"我说，"虽然人是猴子变的，但这只猴子现在还没有变成人，所以他的语言还应该是动物的语言。"

果不其然，猴子开口对我们说话了："你们被发现了。快跑！"

原来，那对对眼数完钱后，就已经发现了我们。我还没有回过神来，那对对眼就飞起一脚，踢在我的屁股上。

我忍着痛，和地包天跑回山洞。

越想越气，越想越气！哼，那个没有良心的人，他等着瞧吧！我笑猫不是好惹的！

心中的怒火

第三天 天气：天上虽然有太阳，但是并不太热，凉风吹在身上，一个字：爽。

今天，杜真子和马小跳都来了。

杜真子是上午来的。没过多久，马小跳也来了。他脸红筋胀，不知又和谁打了一仗。

"我的肺都气炸了！"

这是马小跳经常爱说的一句话。

看见马小跳生气，杜真子就高兴："马小跳，是谁把你的肺气炸的？"

"杜真子，你知道我在公园里看见什么了？"马

小跳义愤填膺，"我看见有一个坏人正在靠猴子赚钱！"

我知道马小跳说的坏人，就是昨天我看见的那个没有良心的人。

"你凭什么说人家是坏人？"

那个对对眼当然是坏人。平时，杜真子和马小跳抬杠，我都站在杜真子的那一边，但这一次，我坚决站在马小跳的这一边。

"他就是坏人！"马小跳振振有词地说，"猴子是野生动物，他是从哪儿把猴子弄来的？还有，他用鞭子打猴子，用一条铁链子套在猴子的脖子上，这就是在虐待猴子。"

"马小跳，你说的这些都是真的？"

当然是真的。我笑猫可以给马小跳做证。可惜我的话杜真子听不懂。

"你不信，我可以带你去看！"

马小跳带着杜真子冲出山洞。我和地包天跟着他们，来到了那座弯弯的拱桥上。

太阳照在头顶上，把桥面晒得滚烫，桥上空无一人。

"马小跳，猴子呢？坏人呢？"

马小跳奇怪了："我刚才还看见的，怎么就不在了呢？"

"马小跳！你又编故事来骗我，是不是？"

杜真子气冲冲地走了。

只有我和地包天能证明，马小跳没有编故事来骗杜真子，我真想替马小跳喊冤。可喊给谁听啊，除了地包天能听懂，马小跳和杜真子都听不懂。

回到山洞，马小跳心中的怒火还在熊熊地燃烧："光天化日之下，竟有这种事情！这种事情我不管，谁管！"

杜真子朝马小跳翻了翻白眼："哼！"

"你哼什么？杜真子，我告诉你，这件事情我管定了！"

"把自己看得好像有多么大的能耐似的！"杜真子朝马小跳撇撇嘴，"你管得了吗？"

马小跳说："靠我一个人的力量当然不行，这件事还要靠群众的智慧，所以我要马上去通知唐飞他们几个，到这里来开会。"

"马小跳！"杜真子跳了起来，"原来你编故事来骗我，就是为了把唐飞他们几个带到这里来。笑猫！"

我知道杜真子的意思，她是想让我去收拾马小跳。每次他们俩吵架，我都会帮杜真子，只要我弓起背来，对马小跳冷笑，喉咙里发出喷痰的声音，右耳一动一动，眼睛里的绿光一闪一闪，马小跳就会被吓得在杜真子面前甘拜下风。可是，我今天不能帮杜真子，因为马小跳并没有编故事来骗杜真子，他说的都是真的。虽然我对杜真子无比忠诚，但我是一只有原则的猫，这一次，我必须站在马小跳的这一边。

"我发誓！"马小跳举起右手，"如果我有一句假话，我就马上跳进湖里，被水淹死。"

杜真子笑了："你吓唬谁呀，你会游泳，这湖水淹不死你。"

要斗嘴，马小跳永远斗不过杜真子。马小跳要走。杜真子拦住他，不许他走。

"我要去尿尿！"

杜真子没有办法，只好让马小跳走了。

快到中午的时候，杜真子也走了，她要回家吃午饭。

傍晚，地包天也要回家了。像往常一样，我把她送出了秘密山洞。

"猫哥你看，桥上又有很多人！"

不用去看，我也知道那是对对眼在那里耍猴赚钱。我在心里愤愤地想：看你还能猖狂几天！

被对对眼踢过的屁股，现在还疼。我坚定不移地相信：马小跳一定会为我的屁股报仇的。

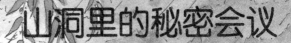

山洞里的秘密会议

第四天

天气：从早到晚都飞着细雨。细雨像无数根银针，扎进水里，湖面上升起一层蒙蒙水雾。

　　下雨了。雨水顺着垂挂在山洞外面的藤蔓往下滴。眼前是满眼的绿，那绿仿佛要随着雨滴从叶尖儿上流下来。

　　在这样的雨天，我以为谁也不会来了。地包天的女主人一定会把她关在卫生间里；杜真子的妈妈也会牢牢地看住杜真子，不许她出门。

　　打在树叶上的雨点声让这个夏天变得格外清爽。我庆幸地包天不在，我才能这么安静地听雨声。

听着听着，我听到了一阵脚步声从远而近地传来，而且这脚步声不只是一个人的，也不只是两个人的，好像有三四个人正朝着山洞跑来。

我听见他们说话的声音了。说话的人好像是唐飞："马小跳，哪儿有什么秘密山洞？你是不是在逗我们玩儿？"

马小跳："闭嘴！马上就到了！"

一阵乱响过后，马小跳撩开挡在山洞口的藤蔓："这就是秘密山洞。"

紧接着，山洞里接二连三地钻进来几个人——马小跳、唐飞、张达、毛超。

"啊——"毛超第一个发现了我，"笑猫怎么会在这里？"

"我是不是在做梦？"唐飞揉着他的眼睛，"我做梦都想有这样的一个山洞，而且这跟我梦里的山洞一模一样……"

"马小跳万岁！"毛超使劲地拍马小跳的马屁，"有了这个山洞，暑假里我们可以天天上这儿来玩。"

张达也很喜欢这个山洞："这是一个……秘密山洞，

谁……也找不到我们……"

"你们都给我听着，"马小跳的表情很严肃，"我把你们叫到这里来，不是为了玩儿……"

唐飞觉得很奇怪："不是为了玩儿，那是为了什么？"

"我把你们带到这个秘密的山洞里来，是要开一个秘密的会。这件事情很严重，有人虐待猴子。"

"光天化日之下，居然有这种事情？"

"这个胆大包天的人是谁？"

"这只猴子……从哪里……来的？"

唐飞、毛超和张达群情激奋，他们个个摩拳擦掌，热血沸腾。

"你们小声点！"马小跳说，"你们这么大声，会让这个秘密山洞暴露的。"

唐飞嫌马小跳啰唆："马小跳，快开会吧！"

"开会就要有开会的样子。"马小跳的表情依然很严肃，"你们都坐下来，我坐在中间，你们坐在两边。"

除了我，其他的人都不服："你凭什么要坐在中

间？"

马小跳梗着脖子问："我不坐在中间，那谁有资格坐在中间？"

是啊，唐飞他们三个人当中，谁也没有资格坐在中间。最后，他们还是请马小跳坐在中间，然后，一边坐着唐飞和毛超，一边坐着张达。他们身边还空出了一个位子，马小跳就让我坐了上去。这个会说的是我们动物界的事情，我作为动物界的代表，应该坐在这个位子上。

马小跳一本正经地宣布："现在开始开会。"

接着，他上气不接下气地把昨天在公园里看到的事情讲了一遍，大家七嘴八舌地讨论起来。

唐飞问："马小跳，你真的看见那个对对眼赚了很多钱？"

马小跳回答："一会儿的工夫，我就见他赚了满满一帽子的钱。"

毛超问："马小跳，你真的看见那个对对眼，用鞭子狠狠地抽猴子？"

马小跳回答："可狠了，把猴子的屁股都抽红了。"

张达却说："猴子……的屁股本……本来就是……红的……"

"张达，你什么意思啊？"马小跳生气了，"你怎么对这只可怜的猴子一点也不同情？"

我也生气了，我向坐在我身边的张达冷笑，喉咙里还发出喷痰的声音。张达本来就怕猫，他小时候被猫抓过，现在看我这样，脸都吓白了。后来，还是马小跳的一句话，才让我决定不再和张达计较。

"笑猫，原谅他吧！"马小跳继续主持会议，"我希望你们把智慧和勇气全部贡献出来，想办法去救这只猴子。"

张达站起来："我现在……就去救猴子？"

马小跳问张达："你知道猴子在哪儿吗？"

"你不是……说……在桥上吗？"

"可是今天下雨，对对眼不会带猴子来的。"

唐飞又不耐烦了："马小跳，猴子都没来，你把我们叫来做什么？"

"来讨论救猴子的方案哪！"马小跳说，"那个对对眼又狠毒又狡猾，要对付他，不准备三个以上的方案，肯定是不行的。"

毛超他们都觉得马小跳说得有道理，我也觉得马小跳说得有道理。结果，他们讨论出来的方案，远远不止三个，而是三个乘以三个——九个！

马小跳他们皆大欢喜，我也欢喜。本来，这个会应该圆满结束了，可就在快要结束的那一刻，却闹出了一点不愉快。

马小跳最后说："这个秘密山洞，还有一个人知道。"

当马小跳说出这个人就是杜真子之后，唐飞露出十分失望的表情。

"唐飞，我知道你为什么不高兴。"马小跳说，"你本来是想亲自把这个秘密告诉杜真子的。"

心里的秘密被马小跳一语道破，让唐飞恼羞成怒："我为什么要去告诉杜真子？"

"因为你想讨好杜真子。上一次，我发现的巨人的城堡，就是你告诉杜真子的。"

唐飞扑上来要打马小跳，张达和毛超把他抱住了。马小跳的话还没说完："杜真子不许我把这个秘密山洞的事告诉你们，我是为了正义的事业，才把你们带到这里来的，所以你们不能让杜真子知道，你们已经知道了这个山洞。"

"我偏要告诉杜真子！"

唐飞已经失去了理智，他呼呼地喘着粗气。我真担心他这样大喊大叫，会把这个秘密山洞暴露了。

这时，还紧紧抱住唐飞的毛超说："就让他和马小跳打一架吧，打完就好了。"

张达和毛超放开唐飞。其实我看出来了，当他们俩紧紧抱住唐飞的时候，唐飞摆出要拼命的架势，真的把他放开了，他又不想打了。马小跳其实也不想打。但不打不行，张达和毛超的四只眼睛盯着呢，还有我的两只眼睛也盯着呢。

于是，马小跳和唐飞打成一团，在地上滚来滚去。他们打得懒洋洋的，我们也看得懒洋洋的。打完后，他们俩果然又和好如初，勾肩搭背地离开了。

第一个回合

第五天

天气：雨后的空气，清爽得像一杯加了柠檬片的凉水。每一根草、每一片树叶，都绿得发亮。

天晴了。我一早就跑出山洞，在弯弯的拱桥那里等候着。

地包天先来了："猫哥，我刚才到山洞里去找你，你不在。原来，你在这里等我。"

我说我在等马小跳和他的那几个好朋友，他们今天要来救那只被虐待的猴子。地包天却有些担心："那个对对眼可不好对付。几个孩子，他们能行吗？"

地包天认识马小跳，但不认识马小跳的那几个好

朋友。

"他们可不是一般的孩子。"我说,"他们都特别聪明,特别勇敢,我相信……"

正说着,马小跳他们就来了。我跑过去迎接他们,向他们每一个人点头微笑。

唐飞说:"笑猫怎么知道我们要到这里来?"

马小跳说:"笑猫昨天不是也来开会了吗?他听得比你还认真。"

唐飞惊讶地瞪大了眼睛:"难道猫也能听懂我们人说的话?"

"我不知道别的猫是不是能听懂,但是笑猫肯定能听懂。"马小跳说,"笑猫在我家的时候,每天晚上他都要看《新闻联播》。他喜欢看《动物世界》,还喜欢看动画片《猫和老鼠》《加菲猫》……快看,快看,对对眼来了!"

对对眼正向拱桥这边走来。他头戴圆顶帽,身穿黑绸大衫,手里摇晃着鞭子,那只可怜的猴子蹲在他的肩头。看见桥上已经有几个孩子,对对眼眉开眼笑:"我真是生意兴隆啊！小朋友们，你们喜欢看猴子吗？"

马小跳他们异口同声地回答："喜欢！"

对对眼捏着三个手指头："你们身上有没有钱呢？"

唐飞理直气壮地回答："没有！"

"没钱走开！"

对对眼好像会变脸，刚才还慈眉善目，现在却是一副凶神恶煞的样子。

毛超跳到对对眼的面前："公园是我们大家的，又不是你们家的，我们为什么要走开？"

"你们在这里影响我做生意，看猴子是要给钱的。"对对眼看见有一群人朝这边走来，赶紧扯起公鸭嗓子喊起来，"过来瞧呀，过来看，猴儿有礼啦！"

对对眼抽了猴子一鞭子。于是，猴子把一只爪子放在他的眉头那里。这还真的把那群人吸引过来了。

"他真的打猴子。我跟他拼了！"毛超挺身而出，"不许你打猴子！"

对对眼根本不理睬毛超，他用手肘把毛超推到一

边，他那张凶神恶煞般的脸，这时又变得慈眉善目了："猴儿，给大家打个招呼！"

猴子却一点反应也没有，他目不转睛地看着毛超，也许他心里在想：这个人怎么跟我长得这么像？

"猴儿，给大家打个招呼！"对对眼又抽了猴子一鞭子，大声吼道，"猴儿有礼啦！"

猴子举起他的一只爪子，挥了挥。他的爪子长得很像人的手。

人们的掌声响起来。

对对眼越发得意："猴儿，给大家来个飞吻！"

猴子用两只爪子摸了一下嘴巴，然后向人群一抛。

人们又笑又鼓掌："好哇！好哇！"

"安静！安静！现在，猴儿要为大家高歌一曲。"

对对眼拿了一个麦克风给猴子，猴子把麦克风举在嘴边，嘴巴开始一张一合。他唱的是大家听得烂熟的《老鼠爱大米》。

我注意到，对对眼的一只手一直放在他的一只衣袋里。马小跳也注意到了。马小跳根本没有听猴子唱歌，他的两只眼睛死死地盯着那只衣袋。

对对眼摇头晃脑，沉醉在猴子的歌声里，完全没有察觉到马小跳的手正伸向他的衣袋。马小跳飞快地从对对眼的衣袋里掏出一个巴掌大的录音机来。

"他骗人！"马小跳大声嚷嚷，"这歌不是猴子唱的，是录音机放的。"

人群中开始有人离开了。

对对眼顾不上对付马小跳，他取下头上的帽子，向人们吆喝道："有钱给钱，没钱捧个场！"

"哦，原来是骗钱的。"

人们一哄而散。不过，马小跳他们几个人没有走。对对眼气急败坏地冲他们吼："你们还不快滚！"

对对眼的两个眼珠子都紧靠着鼻梁，马小跳他们不知道他的眼睛看的是谁，也不知道他说的是谁。

"说的就是你们！你们怎么还不走？"

唐飞说："我们没钱，但我们可以为你捧场。"

"谁要你们给我捧场？"对对眼一把鼻涕一把泪地说，"都是被你们害的，我一分钱也没有挣到。真是倒了八辈子的霉！一大清早就让我遇见你们，我又没有得罪你们……"

马小跳跳了起来："你就是得罪我们了！"

对对眼装出无辜的可怜相："我又不认识你们，怎么得罪了你们？"

毛超义正词严："猴子是我们的朋友，你打猴子，就是得罪我们了！"

"我的猴子，什么时候成了你们的朋友？"

"所有的动物都是我们人类的朋友。"马小跳恳求对对眼，"你把猴子放了吧！给他自由。"

对对眼紧紧地抱住猴子，生怕被马小跳抢走似的："求求你，求求你们，饶了我这个可怜的老头儿吧！别在这里跟我捣乱了……"

唐飞说："你把猴子交给我们，我们就不跟你捣乱。"

对对眼明白，今天在这里是赚不了钱了。他想先离开这里，甩掉马小跳他们再说。他离开了拱桥，马小跳他们紧跟着他。

"你们跟着我干什么？我要上厕所！"

马小跳说："我们也要上厕所！"

对对眼把他们引到一个僻静的地方，那里有一道竹篱笆墙。

马小跳想把对对眼怀里的猴子接过来："我们帮你看着猴子，你好上厕所！"

"想得美！"

对对眼抱紧猴子，转身闪进那道竹篱笆墙边上的一扇小门。

等了好一会儿，还不见对对眼出来。唐飞等得不耐烦了："他还没有尿完啊！"

张达比较有耐心："他可……可能……在拉

屎……"

又等了好一会儿，对对眼还没有出来。马小跳也等得不耐烦了："就算拉屎，也该拉完了。"

"哎呀，哎呀——"毛超捏着鼻子，仿佛已经闻到了屎臭，"不知他拉了多大一堆！"

"就是拉了小山那么大的一堆，也该拉完了。"

马小跳一边说，一边一脚踹开了那扇小门。可是里面哪里有厕所，原来那是一个不准闲人进入的苗圃。

狡猾的对对眼逃跑了，他把马小跳他们几个人都耍了。

第二个回合

又一天 | 天气：这是初夏时节最好的天气，阳光照着，凉风吹着。

一连好几天，对对眼和猴子都没有出现在翠湖公园里。他是在躲避马小跳他们。

马小跳他们又来到秘密山洞，开了两次秘密的会议。还是马小跳坐在中间，唐飞和毛超坐在一边，张达和我坐在另一边。

今天讨论的议题，还是怎样才能救出猴子。

唐飞打了一个哈欠："这几天，对对眼都没带猴子来，我们到哪里去救？"

张达说："我们到……到他家……救……"

毛超问张达："你知道对对眼的家在哪儿吗？"

张达摇头："不……知道。"

马小跳说："不要去管对对眼住在哪里。说不定，对对眼和猴子天天都在公园里，只不过我们没有找到他们。"

毛超点头同意："完全有可能。"

"根本不可能！"唐飞反对，"如果在公园里，我们肯定能找到他！"

吵，吵，吵！这开的是什么会呀？我狂笑一声，他们立刻都安静下来。

"看，笑猫都生气了。"马小跳说，"我宣布：现在散会，我们出去找猴子吧！"

湖边、山坡、小树林、儿童乐园都找遍了，最后，在绿色的长廊那里，终于找到了对对眼和猴子。夏天，葡萄架下最凉爽，人们都喜欢到那里去。

对对眼赚钱又赚欢了。游人们都争着和猴子合影，合一次影，对对眼收十元钱。他的帽子里堆满了十元的钞票。

马小跳他们埋伏在花墙后面。

"有办法救猴子了！"马小跳说，"我们去假装和猴子合影，然后抱走猴子。"

唐飞说："这个办法根本行不通。对对眼认识我们的这几张脸。"

我也觉得这个办法行不通。那个对对眼老奸巨猾，他不会让马小跳他们接近猴子的。

"我们可以化装。"马小跳从裤兜里掏出一副潜水镜，这是他爸爸昨天才给他买来游泳用的，"我戴上这个，你们还能认出我是马小跳吗？"

唐飞、毛超、张达异口同声："怎么认不出来？你就是马小跳！"

"你们跟我这么熟，当然认得出来。"马小跳搜遍了全身，搜了五元钱出来，"还不够十元。唐飞？"

唐飞摸了半天，摸了两元出来。

唐飞又问毛超要，毛超摸出一元来。

毛超又问张达要，张达摸出两元来。

马小跳抓起一把皱巴巴的钞票，戴上潜水镜。潜水镜遮住了他的两眼和一半的脸，他自信地认为对对眼肯定认不出他了，于是向对对眼大摇大摆地走去。马小跳把一把钱扔进对对眼的帽子里："我要跟猴子照相！"

对对眼紧紧地抱住猴子，两个眼珠子贴在鼻梁两边，他在仔细地打量马小跳，但马小跳看不出对对眼究竟在看哪里。对对眼好像是在看他自己的鼻尖，又好像是在看马小跳的后面。马小跳扭头向后看，后面什么都没有呀！

对对眼已经认出了马小跳。他一把扯下马小跳脸上的潜水镜："你装个蛤蟆，我就认不出你啦？"

马小跳魂飞魄散，落荒而逃。不过，马小跳临逃跑的时候，眼疾手快地从对对眼的帽子里抢救出十元钱。

马小跳踉踉跄跄地逃到花墙后面，跟唐飞他们会合。

"马小跳，你怎么搞的？"唐飞埋怨道，"这么简单的事情，你都搞不定。"

马小跳把潜水镜和十元钱都塞在唐飞的手中："你

搞得定，你摆得平，你去！"

"去就去！"

唐飞戴上潜水镜，手里捏着十元的钞票，大摇大摆地朝对对眼走去。

对对眼笑脸相迎："小胖子，你想和猴子拍照吗？来，把钱给我！"

唐飞乖乖地把十元钱交给对对眼。对对眼接过钱，飞起一脚，踢在唐飞的屁股上："想跟我玩儿？你还嫩了点！快滚！"

看唐飞挨了打，张达带头从花墙后面冲了出来。我也狞笑着伸出利爪，朝对对眼扑去。

我们人多势众，把对对眼吓得屁滚尿流、连滚带爬地逃走了。

唐飞龇牙咧嘴地揉着屁股。马小跳一点也不同情他："唐飞，你怎么也搞不定？还白送了十元钱！"

唐飞哇哇乱叫，发誓要为他的屁股报仇雪恨。

要救猴子，只有用跟猴子合影这个办法，才能接近猴子。但是，对对眼的警惕性太高，无论马小跳他们怎

么伪装，对对眼还是一眼就能认出他们，因为他的眼睛虽然长得难看，但视力一点也不差。除非由一个对对眼不认识的人，最好是由一个女孩子去接近猴子，对对眼才不会产生怀疑。

　　我想到了杜真子，杜真子是最好的人选。这几个男孩子是不是也想到了她呢？

第三个回合

第二天

天气：天上的云层忽开忽闭，太阳好像在跟我们玩捉迷藏，一会儿看得见，一会儿看不见。

要救出猴子，我认为只有靠杜真子了。那个耍猴子的对对眼太厉害了，马小跳他们根本不是他的对手。跟他正面交锋的前两个回合中，第一个回合，马小跳他们被对对眼骗了；第二个回合，马小跳他们想骗对对眼，结果却被对对眼识破伪装，白白送给他十元钱，唐飞的屁股还挨了一脚。

吸取了失败的教训，马小跳的想法和我不谋而合，只是他想到的女孩子不是杜真子，而是一个叫夏林果

的。我曾经见过夏林果，她是个漂亮的女孩，马小跳常常为了她跟杜真子吵架。

张达同意让夏林果来和他们一起救猴子。

"我不同意！"唐飞坚决反对，"这是救猴子，又不是跳芭蕾舞，要夏林果来干什么？"

毛超说话了："在夏林果和杜真子的问题上，我觉得你们心里都有鬼，只有我心里没有鬼。救猴子需要的是勇气和智慧，我觉得杜真子肯定比夏林果更合适。"

两票对两票，没有结果。还是唐飞聪明，他说让我来做最后的决定，我选择谁，就在听到谁的名字后笑一笑。

马小跳问："笑猫，夏林果怎么样？"

我不笑。

马小跳又问："笑猫，杜真子怎么样？"

我哈哈大笑。

唐飞怕马小跳反悔，急忙大声宣布："就这么定了！杜真子！"

今天，对对眼又换了地方，他在锦鲤鱼池边活动。

在那里，给锦鲤喂食的人很多。

我认识那个对对眼，我在前面给杜真子带路。马小跳他们怕暴露，只能远远地跟着杜真子。

杜真子今天打扮得十分漂亮。她穿着柠檬黄的纱裙，胸前挂着一个精巧的数码相机。

我把杜真子带到对对眼跟前。杜真子神态自若地走近猴子，还伸出手来摸了摸猴子的脸，大大方方地说："我想跟猴子合影。"

对对眼盯着杜真子看，但他的两个眼珠子紧贴鼻梁，杜真子不能确定他到底在看什么。

对对眼似乎没看出杜真子有什么可疑的，这才开口说："合影是要给钱的。"

"我有钱。"

"十元钱。"

杜真子把一张十元的钞票交到对对眼的手里，提出要求："我要抱着猴子照。"

虽然对对眼让杜真子抱着猴子，但他死死地拉住拴猴子的链子不放。杜真子表示不满："你这样拉住

猴子，我怎么跟他照相呀！"

　　对对眼一点也不放松警惕："别人都是这么照的！"

　　杜真子嘟起嘴巴："这猴子脖子上拴着条链子，多难看啊！叔叔，求求你，把他的链子解开吧！"

　　"不行！"

　　"叔叔，求你啦！"杜真子甜言蜜语地说，"等我和猴子照完相，你再给他拴上链子，好不好？"

　　对对眼终于被杜真子说动了，他把猴子脖子上的链子解了下来，杜真子抱着猴子就跑。

对对眼追了上去："小姑娘，站住！"

杜真子抱着猴子，毕竟跑不快。她一边跑，一边回头冲对对眼说："我到那边人少的地方去照，你别过来！"

这时，我看见张达朝杜真子跑来，他跑得真的像汽车一样快。

对对眼已经意识到要出事，他拼命地追赶着杜真子："站住！你给我站住！"

眼看着对对眼就要抓住杜真子了！这时，我扑了上去，伸出尖利的爪子，在对对眼的脚背上抓了几道血印。

对对眼真是厉害，他根本不顾痛，继续追赶杜真子。我再一次扑到他的身上，在他的手背上又抓了几道血印。

张达从杜真子的怀里抱走了猴子，朝我住的山洞跑去。

对对眼又去追张达。当然，他根本追不上张达，才追了几步，张达就已经消失得无影无踪。

对对眼晕头转向，再回头找杜真子。可杜真子早在负责接应的马小跳、唐飞和毛超的掩护下跑远了，已经到了绝对安全的地方——秘密山洞。

香风·露珠·醉湖

第三天 天气：夏天是百花齐放的季节。晨风捎带着花香，成了香风。中午是热风，到了晚上，又成了香风。

猴子被救到秘密山洞后，就一直和我待在一起。马小跳和杜真子让我来守护猴子，他们对我是很放心的。

猴子很沉默。他看着我，不停地眨眼睛。听我说完话后，有时他会点头，有时他会摇头，只是他不说一句话。我想：他还没有完全相信我。

我说："现在，你必须待在洞里，不能出去，那个人还在到处找你。"

"那个人"，我指的是对对眼。

"你听明白了吗？"

猴子摇摇头，又点点头。不知道他到底听懂了没有。

"这是秘密的山洞，很安全，你不用害怕。只要你不出去，那个人是找不到你的。"

猴子看着我，不停地眨眼睛。我想：他对我还不太熟悉。

"我是猫。你以前见过猫吗？"

猴子点点头。

"我是一只会笑的猫。我笑给你看。哦，现在洞里只有一点点月光，你看不见。我明天再笑给你看吧！现在，我们睡觉！"

我躺下来，眯起眼睛看猴子。他一点睡意也没有，两只大眼睛在黑暗中闪闪发光。

我迷迷糊糊地睡着了。也不知睡了多久，我开始做梦。梦中，猴子从山洞里逃走了，又落入了对对眼的魔掌。

我从梦中惊醒，噌地坐了起来。我看见猴子还一动不动地蹲在那儿，看样子，他一夜未眠。

我心里对猴子充满了感激，在我沉睡的时候，他居然没有逃跑。

"你为什么不睡觉？"

猴子看着我，仍然不说话，眼睛眨个不停。

我撩开挡住洞口的藤蔓看天色。天边已露出一道曙光，一朵淡紫色的云正在急剧地变换颜色，当它变成鲜亮的橘红色时，太阳就升起来了。

外面的空气真好！山洞里有些潮湿，在里面待了一个晚上，身上的毛也潮乎乎的。

"我们出去散散步吧！"我对猴子说，"白天公园里的人多了，你就不能再出去，只能待在洞里。"

清晨，没有游人的公园，简直就是一幅美到极致的图画。晨风捎带着花香拂面而来，草叶上、花蕊上，仿佛有星星在闪烁，那是昨夜的露珠。

好久没有见到老老鼠了，在这时，我居然又见到了他。他跌跌撞撞的，一副醉醺醺的样子。我走上去，拍拍老老鼠的肩："你喝醉了吗？"

"你是谁呀？"老老鼠醉眼蒙眬，"哦，笑猫老弟

啊！我的夏宫，你住着还满意吗？"

老老鼠时刻不忘他的夏宫——我现在住的秘密山洞。

我问老老鼠："你去哪儿偷酒喝了？"

"是香风把我熏醉的……当然我也喝了酒。你想喝酒吗？"

"大清早的，哪里有酒？"

"到处都是酒。你跟我来。"

老老鼠把我带到一朵即将开放的玫瑰花旁："你看这朵花像不像一个酒杯，酒就在里面。"

老老鼠踮起脚，把嘴伸向玫瑰花蕊，把一颗晶莹剔透的露珠吸进嘴里。

老老鼠真会享受啊！

"笑猫老弟，我来给你讲讲养生之道：不要睡懒觉，清晨出来跑跑步。晨风是香风，会把你熏醉的……花蕊上的露珠像酒一样，吸几颗到嘴里，也会醉的……就像我现在这样……"

老老鼠又问我："公园里的湖叫什么湖？"

"翠湖。"

"错！错！错！"老老鼠醉话连篇，"用眼睛看，应该叫它翠湖……没错……用鼻子闻，就应该叫它醉湖。我从来不叫它翠湖……我只叫它醉湖……"

我想起来了，老老鼠一向都把翠湖叫成醉湖。以前，我没在意，我还以为他口齿不清呢。

醉眼蒙眬的老老鼠，终于看见我的身边还有一只猴子："这位朋友，我怎么没有见过？不像猫，也不像狗……"

"他是猴子。"

"猴子？"老老鼠的酒好像醒了一半，"我知道只有两个地方会有猴子：一个是山上，一个是动物园。他怎么会在这里？"

我在老老鼠的耳边，把猴子的来历叽里咕噜地讲了一番。老老鼠的酒，全醒了。

"就算我什么都没有看见。"老老鼠明哲保身的处世态度又显露无遗，"笑猫老弟，你好自为之吧！"

眨眼之间，老老鼠就消失得无影无踪。

"我们也去吸几颗露珠吧！"

我一边说，一边带着猴子跳进玫瑰花丛中，学老老鼠那样，把嘴伸向玫瑰花蕊。

香风、露珠，真的让我们醉了。

猴子的眼睛不再像星星那样一眨一眨，他也变得醉眼蒙眬，他终于开口说话了："我想睡……"

听猴子讲那过去的事情

第四天

天气：黎明前的月亮，周围有一圈一圈的黄晕，像戴着一顶草帽。猴子说，白天会下雨。果然，下雨了。

经过一天一夜的朝夕相处，猴子感受到了我对他的善意，终于消除了对我的戒备心，我们成了无话不说的好朋友，相互间也称兄道弟起来，他叫我"笑猫哥哥"，我叫他"猴子弟弟"。

黎明前，我和猴子又出去散步。走出山洞时，月亮正挂在湖对岸的树梢上，好像一直在那里等着我们。走到弯弯的拱桥上，月亮悬在我们的头顶。我们走到哪儿，月亮就跟到哪儿。

我问猴子:"你说,月亮能看见我们吗?"

"当然能看见。"猴子说,"月亮在给我们照路。"

我说:"今晚的月亮和昨晚的月亮不一样。"

猴子好像在自言自语:"不知道这场雨什么时候能下。"

我好惊讶:"咦,你会预测天气?"

"这是月亮告诉我的。"猴子抬头看月亮,"你看,月亮都戴草帽了。"

月亮的周围有一圈一圈的黄晕,真的好像戴着一顶草帽。

我对猴子肃然起敬:"猴子弟弟,你懂得真多!"

"我们在野外生活,必须学会看天气,这是起码的生存本领。"

我很想知道,猴子是怎样离开大山,落入对对眼的魔掌中的,但我又怕勾起他伤心的回忆,所以我欲言又止。

香风阵阵,熏得我们心醉。

来到玫瑰花丛中,我们把嘴伸向花蕊,去吸花蕊上

的露珠。

猴子美美地舒了一口气："美死了！真想天天都这样。"

我说："至少在夏天，可以天天这样。"

"可我还是想回到大山里。我们家是一个大家庭，我的爸爸妈妈已经很老很老了，我还有十几个兄弟姐妹。我们住的地方很大很大，方圆几十千米的山都是我们的家。我们一家老小从不分离，快快乐乐地生活在一起，从来不知道什么叫悲伤……"

现在，猴子肯定已经尝到了悲伤的滋味。我忍不住问他："猴子弟弟，你是怎么离开大山的？"

"唉，都是我这张好吃嘴惹的祸。"猴子说，"记得那是一个春天的午后，大家吃过午饭，都在舒舒服服地睡觉。我因为没吃饱，睡不着，所以就独自跑去采野果子吃。突然，一根香蕉砸在我的身上。香蕉可是我最爱吃的东西啊！我立刻把香蕉剥来吃了，然后盼着天上再掉下来第二根香蕉。真是心想事成！过了一会儿，第二根香蕉又正好砸在我的身上。吃完第二根香蕉以后，我就什么都不知道了。等我终于醒来的时候，我的脖子上已经被套上了一条铁链子，一个丑陋的男人手中握着一条鞭子……"

"那个男人就是靠你赚钱的对对眼吗？"

"就是他。"

我从一出生，就开始跟人打交道。我对人的了解，应该比猴子对人的了解多一些。人分好人和坏人，坏人都是坏心眼。猴子吃完第二根香蕉后，便失去了知觉，这完全有可能是对对眼把安眠药藏进了香蕉里，猴子吃完后便睡着了。我能想象得出当时对对眼的一举一动：他见猴子睡着了，就连忙把早已准备好的麻布口袋拿出来，把猴子装进去，扛在肩上，下了山，再趁着夜色进了城；回到家中，对对眼怕猴子逃跑，便趁猴子还没有醒过来，在他的脖子上套上了一条铁链子。

猴子继续讲他醒过来以后的事情："那个男人开始教我做一些人的动作，比如敬礼、飞吻、鼓掌、作揖、拿着话筒唱歌……跟人照相时，他还要我做出亲密的

样子，把头靠在人家的身上……我做不好，他就用鞭子抽我，还让我挨饿，还用火红的烟头来烫我，你看我的身上……"

天已经蒙蒙亮，所以我能看见猴子的背上和腿上，有几个圆点，上面的毛都被烫掉了，露出粉红的皮来。

可怜的猴子弟弟，他真是受尽了折磨。

"笑猫哥哥，人为什么那么坏？"

"不是所有的人都坏。总的来说，还是好人多，坏人少。"我说，"你的运气不好，你刚好遇到了一个坏人。对对眼要靠你发财，贪心让他丧失了良心，所以他那么残忍地对待你。"

"他对钱却很亲热。"猴子说，"我看他数钱的时候，总是一边数，一边笑……哦，笑猫哥哥，那几个小孩子为什么要救我？"

"因为他们都是好人。他们对动物特别好，真的是把动物当朋友，所以他们千方百计地要把你从对对眼的魔掌中救出来。特别是那个马小跳，他是最爱动物的。"

"是那个长得像我的男孩子吗？"

猴子说的是毛超，毛超留给猴子的印象最深刻。算了，不说马小跳了，反正猴子也搞不清楚谁是马小跳。

　　"笑猫哥哥，我会跟你一起，永远住在这个秘密山洞里吗？"

　　我觉得不太可能，因为这里已经变得不太安全了，那个对对眼总有一天会找到猴子的。再说，猴子白天只能待在山洞里，只能在天亮之前出来散散步，这对生性活泼的猴子来说，也太委屈他了。

　　我经常看电视新闻，所以我知道在城市里获救的野生动物，大多数都会被送到动物园去。

　　于是，我对猴子说："你可能会被送到动物园去。"

　　猴子不知道动物园是什么地方。

　　我告诉他："动物园是人们观赏动物的公园。"

　　猴子天真地问我："动物园里好玩儿吗？"

　　"不太好玩儿，要被关在铁笼子里，但是会有许多好吃的东西给你吃。你喜欢吃香蕉，在动物园，每天都有人扔香蕉给你吃……"

"唉，我都是被香蕉害的，我再也不吃香蕉了！"

猴子说这话的时候，我想起了老老鼠。老老鼠就是因为把自己的嘴巴管得很好，所以才活到今天这把年纪。每年春天，公园里都会投放鼠药，老老鼠却从来没有被毒倒过。他宁愿吃草，也不吃那些摆在光天化日之下的香喷喷的、富有营养的食物。这样的智慧、这样的自制力，让我很瞧得起他，常常忘记我是他的天敌。

天快亮了，我和猴子赶紧回到山洞里，呼呼大睡。迷迷糊糊地，我仿佛听见一阵争吵声，好像是马小跳他们正在为猴子的事情争论不休。

顽皮的本性

这 一 天 天气：厚厚的云层像一块巨大的灰色幕布，忽开忽闭，天色也随之忽明忽暗。有点闷热。

　　自从我住进了这个秘密山洞以后，老老鼠就没到这里来找过我。他很讲信用，作为交换条件，他把这座他最钟爱的绿岛夏宫给了我；我也很讲信用，对公园里的老鼠们——老老鼠的子子孙孙们，我始终熟视无睹。今天，老老鼠却到山洞里来找我了。

　　"笑猫老弟，虽然我不想管闲事，但你的事情，我还不得不管。如果我不管，你就有麻烦了。"

　　我打了一个大大的哈欠，我还没睡醒。

"有什么话，你就直说吧！绕来绕去的，我很不喜欢这种风格。"

"那我就直说了。"老老鼠看猴子睡得正香，便把嘴凑到我的耳边，"这猴子住在这里，早晚会出事的。"

我说："这山洞已经不是你的夏宫了，现在它是我的。我想让猴子住在这儿，你有意见吗？"

"我没有意见。"老老鼠说，"我是担心这个秘密山洞会暴露。"

"不会的。白天，我都没让猴子出去。天还没亮的时候，我才带他出去活动活动。"

"可是，我知道还有几个小孩子经常到这里来……"

原来，这里的动静，老老鼠都一清二楚。

"那又怎么样？"我不知道老老鼠到底在动什么心思，"这几个小孩子也是我的朋友，他们是不会让别人知道这个山洞的。"

"如果有人跟踪他们，而他们又不知道……"老老鼠的眼珠滴溜溜地转着，"后患无穷啊……"

"我明白你的意思了。你好像有什么新发现？"

老老鼠表情很神秘地说："这几天，我都发现有一个人，老在公园里转悠，好像在找什么东西……我总觉得，他就是那个耍猴的人……"

"那个人的眼睛是不是有毛病？"

老老鼠偏着头想了一会儿，他在回忆那个人的样子："眼睛好像是有问题。这个问题就是……你永远不知道他的眼睛，到底在看什么地方。"

那就对了，那个人肯定就是对对眼。这可是一个危险的信号。

"你是在哪里看见对对眼的？"

"在公园的售货亭附近。"

公园的售货亭附近？我想：对对眼在公园里找遍了，也没找到猴子，但他怀疑猴子还在公园里，所以他来到位于公园里几条主要道路交叉口旁的售货亭，准备放线钓鱼。他认定跟着那几个孩子，就能找到猴子。

马小跳他们今天还要来，他们还要在一块儿商量猴子的去处。

我马上向公园的售货亭跑去。老老鼠跟在我的后边，一边喘着粗气，一边问："笑猫老弟，你要干什么？"

我说："我不能让那个坏人的阴谋得逞。"

公园中售货亭的旁边，栽种着两行柳树。夏天，柳树的枝叶长得无比茂盛，柳枝弯下来，垂到地面。每一棵柳树都像一座圆形的绿房子，如果一个人藏在里面，透过密密的枝叶，他从里面能看见外面，而外面的人却绝对看不见里面。

在一棵柳树下，我看见一双穿着破凉鞋的脚丫子。我悄悄地走近，抬头一看，果然是那个对对眼。

对对眼也发现了我，他踢了我一脚："该死的猫，滚开！"

我跑开了，跑到一个垃圾桶后面，藏了起来。

过了一会儿，马小跳他们果然来了。毛超的手上还提着一串香蕉，这等于告诉对对眼：猴子就在公园里。

马小跳他们根本没有发现被人跟踪了。我看见他们径直向山洞走去。

对对眼从浓密的柳树枝条下钻出来，跟了上去。

马小跳他们还是一点也没有察觉到。他们大摇大摆地走着。

我追上对对眼，抓住他的裤管不放。对对眼抓起我脖子上的皮毛，一把将我甩开了。我在地上打了一个滚儿，又扑了上去。这一次，我从前面进攻他，阻止他往前走。

游人们渐渐地围了上来，他们都觉得好笑，不明白一只猫为什么会跟一个人纠缠不休。

我伸出尖尖的爪子，狞笑着再一次朝对对眼的身上扑了过去。对对眼终于被吓得转身跑出了公园。这时，我听见游人们议论纷纷——

"这个人怎么跟猫结成了冤家？"

"多半是他前世跟猫有仇，猫找他报仇来了……"

我在人们的议论声中，悄悄地跑远了。

跑回山洞，我看见马小跳他们都在。马小跳一见我，便埋怨道："笑猫，你不好好地在洞里看着猴子，跑到哪儿去了？"

毛超更让我生气，他说我一点责任心也没有。

如果他们能听懂我的话，那么我会把刚才发生的一切都讲给他们听。我想：他们一定会因为错怪了我而自责，说不定还会向我赔礼道歉。

看样子，他们已经在讨论猴子的去处了。不知猴子是什么时候醒来的，这会儿，他正坐在毛超的身边剥香蕉吃。看来，他很喜欢这个长得跟他很像的男孩子，他十分灵巧地把香蕉皮剥成花瓣形，把香蕉举到毛超的嘴边，让毛超吃。

唐飞对猴子说："我也要，给我剥一根！"

马小跳和唐飞又争着要猴子给他们剥香蕉。

猴子听不懂他们说的话，他不知所措地看着我。这时候，我才深深地感到掌握一门外语是多么重要。我把几个男孩子的话翻译给猴子听。于是，猴子飞快地给他们每个人都剥了一根香蕉。

唐飞拍拍猴子："真不错！叫他干什么，他就干什么。"

"人本来就是猴子变的。人能做什么，猴子就能做什么。"毛超显然也格外喜欢坐在自己身边的猴子，"有

时候，猴子比人还聪明呢！"

　　毛超吃香蕉的样子跟猴子吃香蕉的样子一模一样。他们俩一边吃，一边眨着眼睛，吧嗒着嘴。他们俩并排坐在一起，就像一对亲兄弟。

　　几个男孩子你一言，我一语，都在表扬猴子。我的心里有点酸酸的。我在中间做翻译，可他们都意识不到我默默做的这一切。

　　猴子跟男孩子们已经混熟了，顽皮的本性就开始表现出来了。他从唐飞的裤兜里，掏出一袋鱿鱼丝，扔在几个男孩子的中间。马小跳他们抢着把一袋鱿鱼丝瓜分了，还分给我一份。

　　马小跳塞了满满一嘴的鱿鱼丝，一边吃，一边批评唐飞："唐飞，你这种吃独食的德行相当不好。"

　　毛超手上握着一把鱿鱼丝，也一边吃，一边批评唐飞："我们是好朋友，好朋友就应该有福同享，有难同当，有东西大家吃……"

　　唐飞心疼他的那一袋鱿鱼丝，所以火气特别大："你们不是都在吃吗？"

马小跳说："又不是你心甘情愿给的，是猴子从你的……"

唐飞朝马小跳扑去："把鱿鱼丝还给我……"

马小跳连忙把手中的一把鱿鱼丝全部塞进嘴里。

唐飞又扑向毛超，毛超也把手中的一把鱿鱼丝，全部塞进嘴里。

唐飞又扑向张达……

猴子从来没见过这样的打斗场面。他不明白，为什么刚才还好好的，一眨眼之间，突然就打了起来。

我已经见惯不惊。这样的场面我见得太多了，所以我继续吃我的鱿鱼丝。

鱿鱼丝的味道真好。要慢慢地嚼，才能品得出鲜美的味道。

暴雨淹了山洞

第二天

天气：今天下了一场暴雨，这是今年夏天的第一场暴雨。雨水好像从天上泼下来一样，地上的雨水像溪水那样奔流。

黎明前，我和猴子去散步。云层压得很低，让我们有喘不过气来的感觉。没有一丝风。猴子说，今天会有暴雨。我相信猴子的天气预报，他的预报常常比电视台播的天气预报还准。

回到洞里，洞里倒是十分凉爽。我们把挡在洞口的藤蔓撩起来，像门帘那样挂在两边。趁现在公园里还没有游人，我和猴子坐在洞口吃早餐。

我和猴子吃的早餐不一样：猴子吃一根香蕉、十二颗花生米；我只吃了两片波罗蜜干儿和一小撮鱼松。这些东西都是杜真子前几天给我们带来的。猴子问我为什么吃得这么少。我说现在是非常时期，我在外面独立生活，必须要精打细算地过日子。

"我看你的波罗蜜干儿和鱼松都快吃完了。那个和你长得很像的女孩子，今天会给你送吃的来吗？"

猴子说的是杜真子。

"你不是说今天要下暴雨吗？她可能不会来。"

我嘴上这么说，心里却希望杜真子来。这倒不完全是因为她会给我送来吃的东西，而是因为我想她，非常非常地想她。

"不知道那几个男孩子会不会来。我越来越喜欢他们了。"猴子突然问我，"笑猫哥哥，这几个男孩子中，你最喜欢谁？"

"第一喜欢马小跳，第二喜欢唐飞。"

其实，我也喜欢毛超和张达，但是因为唐飞对杜真子最好，所以我对唐飞的好感比对他们两个的多一点点。

猴子说他最喜欢毛超，他觉得毛超就像他的哥哥。

公园里开始有游人了。我赶紧把挂起来的藤蔓放下来，挡住洞口。

我心里一直盼着杜真子来，于是，我把头伸到藤蔓外，盯着湖对岸的那条通向山洞的石头小路。

杜真子终于出现了！

她的手里提着一个篮子，那里面一定都是我喜欢吃的东西。我的心一阵狂跳，我冲出山洞，去接杜真子。

我向杜真子奔去。杜真子也看见了我，她也向我跑来。

这时，我看见在离杜真子很远的地方，也有一个人在向我跑来。那人会不会是对对眼？

越跑越近，我终于看清楚了，那人果然是对对眼。他在跟踪杜真子。他没有忘记，就是杜真子把猴子从他的魔掌中救走的。

杜真子一点也不知道她被跟踪了。她一边朝我跑来，一边叫着我的名字："笑猫！笑猫！"

我没有理睬杜真子。我从她的身边飞快地跑过，两眼喷着怒火，狂笑着向对对眼冲去。

对对眼转身就跑。他领教过我的厉害，他知道自己根本无力抵御我的进攻。他的手臂上和脚背上，还留着被我抓伤的痕迹。

对对眼一路狂奔，我在他的身后一路追逼，直到把他赶出公园，我才善罢甘休。

我一回到山洞，杜真子就把我抱了起来："笑猫，你太棒了！"

杜真子还夸我是猫中豪杰。我已记不清她夸了我多少遍，吻了我多少遍。这样的时刻，我很享受。

天上乌云滚滚，真的要下暴雨了！

我以为马小跳他们不会来了，结果他们还是来了。

看见杜真子，唐飞兴奋得两眼闪闪发光，马小跳的态度却很冷淡："你怎么来了？"

"我怎么就不能来？"杜真子气呼呼地冲着马小跳嚷着，"马小跳，你别忘了，是我把你带到这个山洞里来的！"

唐飞叫起来："马小跳，你说山洞是你发现的。

你从来没有说过是杜真子带你来的！"

马小跳哑口无言。

杜真子说："我刚才来的时候，被对对眼跟踪了，多亏笑猫救了我，要不这个山洞就暴露了，猴子也会被他抢走的。"

"杜真子，你太不小心了！"马小跳终于找到了报复杜真子的机会，"你以后不要到这里来了！"

马小跳太不像话了！他还好意思教训杜真子？昨天，他们几个人不也被对对眼跟踪了吗？这时候，我真恨自己不能说人话。如果我把真相说出来，马小跳会无地自容的。

我冷笑着，右边的耳朵一动一动的，两眼射出愤怒的绿光。

马小跳知道我生气了，他大声地转移话题："要下雨了！"

几个男孩子把挡在洞口的藤蔓撩起来，挂在山洞的两边。他们伸长脖子，挤在洞口看下雨。

雨并没有下起来。

本来像翡翠一样碧绿的湖水，现在倒映着天上的乌云，仿佛变成了一湖墨水。水中的鱼都游到水面上来，好像要从墨水里挣扎出来。

天色稍稍亮了一点。

突然，只听"哗"的一声，老天爷仿佛打翻了巨盆里的水，瓢泼大雨从天而降！

几乎没有任何过程——没有雨点，没有雨丝，直接就是大水从天上泼了下来。

哗哗哗！哗哗哗！

这是真正的暴雨。才一眨眼的工夫，就已经看不见山洞外面的任何景物了，满眼都是从天上飞流直泻的水幕，落到湖面，溅起一片雪白的水花。

地上的雨水像小溪水一样奔流，流进湖里，也流进山洞里。

山洞里的水越积越深，已经快淹过我的身体了。杜真子把我抱了起来。猴子爬到毛超的背上，让毛超背着他。

"怎么办？"杜真子说，"笑猫和猴子都不能再住在山洞里了。"

"我把他们带回家去。"

我很高兴马小跳这么说。我愿意到马小跳的家去。我曾经和杜真子在他家住过一些日子，他的爸爸妈妈对我十分友好。

毛超想把猴子带回他的家，他说猴子最喜欢他，跟他最亲。

"我不同意。"杜真子说，"猴子当然要和笑猫在一起，不然他会觉得孤单的。"

唐飞和张达都坚决地站在马小跳和杜真子的这一边，他们说每次上毛超家去，毛超的爸爸妈妈对他们一点也不热情，而马小跳的爸爸妈妈对他们却很好，他们愿意去马小跳家看猴子。

暴雨一直哗哗地下，没有一点迹象能看出这雨下到什么时候才能够停。

到了下午，暴雨骤然而止。

"雨停了，我们快走吧！"

杜真子一边说，一边把我装进篮子里。马小跳把

他的 T 恤衫脱下来，盖在篮子上面。

　　毛超背着猴子，张达也把自己的 T 恤衫脱下来，搭在毛超的背上，把猴子严严实实地遮起来。

　　就这样，我和猴子来到了马小跳的家。

人和猴子的区别

昨天夜里

天气：这是一个清爽的夏夜。暴雨过后，地上还有积水。经过雨水冲洗的树叶，在黑夜里闪着温柔的绿光。

猴子平生第一次来到一个男孩子的家，昨天夜里，他兴奋得一夜都没有睡。

马小跳没有让猴子公开露面，他还没有想好怎么把猴子的事讲给家里人听，所以他只让我见他的爸爸妈妈，因为他们都认识我。

"噢，笑猫！你离开杜真子家这么久了，跑到哪儿去了？"

马小跳的妈妈惊喜万分。她是一个美丽的女人，

我很喜欢她，所以给了她一个最友好的微笑。

"猫是最通人性的动物。"马小跳的爸爸说，"笑猫知道你的妹妹对他不好，而我们一家人都对他好，所以他回我们家来了。"

我对这个十分幽默的男人抱有好感，我感激他对我的理解，也给了他一个最友好的微笑。

马小跳把猴子藏在自己的房间里，不准他出来。我却可以在马小跳家的每个房间里，自由地走来走去。晚上，我还和他们全家人一起看《新闻联播》。好久没有看新闻了，世界上发生了好多事情，我都不知道。

深夜，马小跳一家都睡熟了，猴子悄悄地从马小跳的房间里溜出来，在客厅的沙发上找到我。他朝我的耳朵里吹气，把我弄醒了。

"你干什么？"

"笑猫哥哥，我睡不着。你起来陪我玩儿吧！"

我终于明白了，在动物界，猴子为什么偏瘦。那就是因为他们的睡眠不好，老是失眠。睡眠好的动物，比如猪呀，牛呀，他们的体形都偏胖。

"有什么好玩儿的？"我打了一个哈欠，"不过，你还没有好好地看看这个家呢，我就带你参观参观吧！"

我先把他带到了最大的一个房间的门口，告诉他，这是马小跳的爸爸妈妈住的地方。接着，又把他带到一个最小的房间的门口，告诉他，这是马小跳住的地方。

"他们为什么不住在一起？"猴子十分困惑，"我的爸爸妈妈和一大群兄弟姐妹都睡在一起。"

据说，人是猴子变的，但是人和猴子还是有很多的区别。

我把猴子带进书房。紧靠着书房的四面墙，顶天立地地立着一排排的书橱。书橱上的每一格都摆满了薄的书、厚的书。

我告诉猴子："这是人读书的地方。"

猴子问："为什么要读书？"

我说："读书可以使人变得有智慧，有教养。"

"我们猴子从来不读书。"

这也是人和猴子的区别。

来到厨房，我指着煤气灶，告诉猴子："一拧旋钮，就会有蓝色的火燃起来。人吃的许多食物，都是用火煮熟的。"

"我们猴子从来不用火煮东西吃。我们都是直接从树上采果子吃。"

这也是人和猴子的区别。

"笑猫哥哥，这是什么？"猴子指着冰箱问。这个冰箱又高又大，比杜真子家的冰箱高大多了。我上次到马小跳家里来的时候，没有见过这个冰箱，这一定是他们新买的。

"这是冰箱。"我告诉猴子，"肉呀，菜呀，水果呀，放在里面不会坏；冰淇淋放在里面不会化……"

"为什么呢？"

猴子的问题没完没了。从大山里来的猴子，对什么都感到新奇。

我耐着性子有问必答："因为冰箱里的温度很低，就像深山里冰天雪地的冬天。"

猴子还是不明白："现在这么热，哪里有冰天雪地？"

我只好打开冰箱的门，一股冷气扑面而来。这冰箱果然很大，里面十分宽敞，虽然放了一些东西，但还是显得空空的。

"好舒服啊！"猴子说着就要跳进去，"我真想在里面睡觉。"

我赶紧把猴子拉开，关上冰箱门。我真怕他做出傻事来。

"该看的，你都看了。"我对猴子说，"你该去睡觉了。"

"还有两个地方没有看。"

猴子说的是两个卫生间。我告诉他，卫生间是人拉屎撒尿、洗澡的地方。

"我们猴子从来不洗澡，身上痒痒了，就找别的猴子帮忙，用爪子挠挠就可以了。"

这也是人和猴子的区别。

我实在太困了。看着猴子进了马小跳的房间后，

我赶紧闭上眼睛，很快就睡着了。

马小跳家的沙发软软的，好久没有在这么舒服的沙发上睡觉了，我睡得又香又沉。

沉睡中，我听到一声撕肝裂肺的尖叫，我全身的毛都竖起来了。我看见马小跳和他的爸爸都向厨房跑去。是马小跳的妈妈在尖叫。肯定出事了！

这时，天已经亮了。

猴子在冰箱里

第三天

天气：难怪一天比一天热，原来今天已进入二十四节气中的"小暑"。幸好早晚的风，还有一丝丝凉意。

我被马小跳妈妈的尖叫声惊醒，跟着马小跳和他的爸爸跑进厨房。只见马小跳的妈妈已经吓得不成人样，冰箱门敞开着，猴子居然在里面，他已经被冻得失去了知觉。

天哪！猴子怎么会跑进去？

马小跳冲上前去，把猴子从冰箱里抱出来。

猴子肯定被冻僵了，他的身体变得一点也不柔软，他的脸惨白惨白的，那本来红彤彤的屁股也变得惨白

惨白的。

"猴子死了！猴子被冻死了！"马小跳哇哇大哭，"爸爸，救救猴子吧！猴子是我带回来的。"

马小跳的妈妈终于缓过气来，她也伤心地哭起来。

"你们都不要哭啦！"马天笑先生说，"先救猴子要紧！"

马小跳见他的爸爸要救猴子，立即不哭了。他"啪"的一声，点燃了煤气，蓝色的火苗在熊熊燃烧。

"马小跳，你干什么？"

"我想让猴子暖和暖和。"

"你那样做只会让猴子死得更快。"马天笑先生"啪"的一声关了煤气，"快把他抱到沙发上去，给他做全身按摩。"

马小跳把猴子放在沙发上，马天笑先生就像揉面团一样，在猴子的身上按摩起来。

"老爸，你能救活猴子吗？"

"按摩能促进血液循环，还能加快知觉恢复。"

我看见猴子的身体慢慢地不像刚才那么僵硬了。

"我感觉猴子的身上已经有热气了。"

马天笑先生一边说，一边更加用力地按摩着。我看见猴子的眼皮在微微颤动。啊，猴子活过来啦！

马小跳摸了摸猴子的心窝，兴奋地嚷着："我感觉猴子的心脏在跳动了！"

马天笑先生满头是汗，他让马小跳的妈妈用可口可乐熬姜汤给猴子喝。

猴子的情况越来越好，他的眼睛睁开了。这时候，姜汤也熬好了。

这可口可乐熬的姜汤一定很好喝，猴子咕咚咕咚、咕咚咕咚地大口喝着。一碗姜汤下了肚，猴子的脸渐渐地红了起来，屁股也红了起来。他的命终于保住了，但他的身体还是有一些虚弱。马天笑先生让马小跳拿来一床被子，盖在猴子的身上。

"马小跳，你跟我到书房里来！"

马小跳跟着马天笑先生进了书房。我猜想：马天笑先生肯定要审问马小跳，要他交代这猴子的来历。

猴子躺在被窝里，这时候他很老实："笑猫哥哥，我好像死过一回，又活过来了，是不是？"

"你是活过来了，可我差点被吓死。"我问猴子，"你怎么会跑到冰箱里去？"

"我看见人都有自己的房间，我也想有自己的房间。我也不想要个太大的房间，有冰箱那么大就可以了，所以我就跑进去了。"

"你知道不知道在冰箱里会被冻死？"

"你说冰箱里就像冰天雪地的冬天，我在冰天雪地里生活过，并没有被冻死，所以我才跑到冰箱里去的。都怪你没给我讲清楚。"

嘿，猴子倒怪起我来了！

马小跳和他的爸爸还在书房里。现在，猴子的命运就掌握在他们的手中。他们会送他去动物园，还是会送他回大山里？

猴子却想过人的生活。

"笑猫哥哥，如果我吃煮熟的东西，如果我天天洗澡，如果我学会看书，我是不是就可以变成人呢？"

我说："猴子永远是猴子。"

"那个长得很像我的男孩子说过，人就是猴子变的。"

猴子说的是毛超。现在，猴子满脑子都是稀奇古怪的想法，我得让他面对现实："猴子弟弟，你现在有两种选择——你是愿意去动物园，还是愿意回到你原来生活的地方？"

这个问题，我曾经在山洞里问过猴子。记得他当时的意思是愿意回到原来生活过的地方，因为那里有他的爸爸妈妈和兄弟姐妹。可是，在马小跳的家里住了一个晚上后，猴子对生活的理解，已经发生了天翻地覆的变化："笑猫哥哥，我愿意留在这里，过人的生活。"

"绝对不可能。"

我不能给猴子留一点希望。

"为什么？"猴子十分困惑，"为什么你能在人的家里生活，我却不能？"

"猴子弟弟，你跟我不一样。你是野生动物，我是家养动物。"

"我知道动物跟人不一样。可动物跟动物怎么还是不一样呢？"

　　唉，跟猴子怎么说得清楚？我只能这么跟他讲了："如果家里养着一只猫，人家不会觉得奇怪；如果家里养着一只猴子，人家就会觉得很奇怪。"

　　猴子说："我不觉得奇怪。"

　　唉，还是说不通。我只好跟他讲法律了："法律规定，人的家里只能养猫养狗，不能养猴子。如果违反了规定，人就会受到惩罚。"

　　"法律是什么东西？"

　　猴子没完没了地缠着我，他一定要知道法律是什么东西。

　　这时，马天笑先生该去上班了。马小跳从书房里走出来，闷闷不乐。我猜马小跳现在正举棋不定：到底是送猴子去动物园，还是把猴子送回大山？

　　马小跳开始打电话。他给唐飞、毛超、张达和杜真子都打了，说的话几乎都是一模一样的。他先说昨天夜里，猴子在冰箱里被冻僵，却故意不说结果，吊着人家的胃口。等人家着急地问猴子被冻死没有，他

才慢悠悠地说猴子被他救活了。于是，他怎么给猴子做全身按摩，怎么给猴子喝用可口可乐熬的姜汤……讲得眉飞色舞，讲得声情并茂。

　　几个电话打下来，马小跳不再闷闷不乐。他兴高采烈，精神抖擞，就像猴子真的是被他救活的一样。

烧烤苹果香蕉

第四天 天气：太阳像一个火球，树叶一动不动，没有一丝风。

今天，唐飞、毛超、张达和杜真子都到马小跳的家里来了。猴子活蹦乱跳的，嘴里发出吱吱叽叽的声音，表情丰富地在人的面前竭力地表现自己。我知道他心里在想什么，他想给大家留下一个好印象。

唐飞对着猴子左看右看："我相当怀疑，这猴子真的差点被冻死吗？"

马小跳信誓旦旦地说："骗你不是人！"

"你是不是人，一点也不重要。"毛超说，"马小跳，

我也相当怀疑，猴子真的是被你救活的吗？"

马小跳心虚，不敢再发誓。猴子是马天笑先生救活的，不是他救活的。

杜真子瞪着马小跳："你是不是在编故事？"

如果我能说人话，那么我真想站出来为马小跳辩护几句：马小跳没有编故事，事情都是真的，只不过猴子确实不是马小跳救活的。

"马小跳，你要我们相信你也容易。"唐飞狡猾地向毛超使了一个眼色，"你不是用可口可乐熬姜汤救活了猴子吗？现在，我们就看你会不会用可口可乐熬姜汤。如果会，我们就相信你。"

马小跳只好豁出去了："熬就熬！"

一帮人跟着马小跳冲进厨房。

马小跳打开冰箱，拿出一大瓶可口可乐，倒了一点在小锅里。

唐飞大叫："这么一点点，够谁喝？"

马小跳说："昨天就熬了这么多。"

"昨天是昨天，今天是今天。"毛超喜欢把话绕来绕去，"昨天是熬给猴子喝，今天是熬给我们大家喝，让我们来评一评，你是不是会熬姜汤。"

马小跳换了一口大锅，把一大瓶可口可乐全倒进锅里，在煤气灶上煮起来。

"还……没有放……放姜……"

幸好张达提醒了马小跳。马小跳显得镇定自若，还怪张达多嘴："我知道，不用你说。"

马小跳把冰箱里一碗准备用作调料的姜丝全倒进了锅里。

马小跳不知道应该熬多久，但他知道杜真子喜欢做菜，他是这样问的："杜真子，我来考考你，你知道要熬多久吗？"

杜真子果然上当了："把姜味熬出来就可以了。"

"答非所问。你不知道，就应该说不知道。"马小跳装得真像，"我问的是要熬多长时间。"

杜真子再一次上当了："开锅十分钟就可以了。"

马小跳知道怎么做了。开锅十分钟后，他关掉煤气，给每个人盛了一碗可乐姜汤。

唐飞只喝了一口，就拍着马小跳的肩膀说："我相信你救活了猴子。"

"我……我也相……信……"

张达一口就喝掉了半碗姜汤。他的嘴好大，就像我在电视节目《动物世界》里看到的河马的嘴！

"马小跳，这个可乐姜汤，是不是你发明的？"

对于毛超的这个问题，马小跳不说是他发明的，也不说不是他发明的。这哪里是他发明的，在这之前，他压根儿就不会熬可乐姜汤。

我问猴子："那可乐姜汤真的很好喝吗？"

"太好喝了！你想喝吗？"猴子说，"我看见锅里还剩了一些，我们去喝吧！"

我和猴子来到厨房。锅里果然还剩了一些可乐姜汤。我把头伸进锅里喝了几口，真的很好喝，酸酸甜甜的，微微有点辣。

我听见马小跳在客厅里说："我打电话叫你们来，是有重要的事情告诉你们。"

听说有重要的事情，我赶紧回到客厅里，蹲在沙发

上旁听。

"我爸爸说，要给动物园的人打电话，请他们来把猴子接到动物园去。可是，我不同意！"

杜真子问："马小跳，你有更好的地方吗？"

马小跳说："我觉得更好的地方，应该是猴子原来生活的地方。"

唐飞问："你知道猴子原来生活的地方在哪儿吗？"

"不知道。"马小跳突然想起了什么，"我们可以去问对对眼！"

"马小跳，我发现你的智商相当低。"毛超说，"你也不分析分析，那个对对眼怎么可能告诉你！"

张达说："那……还是到……动物园……"

马小跳还是反对："猴子是野生动物，应该在野生的环境里生活。"

"动物园里很好啊！"唐飞扳着手指头，数着待在动物园里的好处，"第一，不愁吃，不愁喝；第二，有空调，冬暖夏凉；第三，不用担心日晒雨淋；第四，每天都有很多人来看，不会感到寂寞……"

"对，去动物园，我们还可以经常去看他，不然我会伤心死的。"

毛超捧着心口，做出伤心的样子。

马小跳说："动物园里千好万好，但有一样不好。"

大家都问马小跳："哪一样不好？"

"动物园里没有自由。你们知道自由有多么宝贵吗？有一首诗就是说自由的：'生命诚可贵……'，然后是什么？"

"我来，我来！我知道。"毛超像念经一样，"'生命诚可贵，爱情价更高。若为自由故，二者皆可抛！'"

"听见没有？听见没有？"马小跳据理力争，"自由比什么都重要。虽然，在……"

"你们闻到没有？好香啊！"唐飞吸着鼻子，满屋子找起来，"什么东西这么香呀？"

满屋子都是果香味，好像是从厨房里散发出来的。我想起猴子还在厨房里，会不会是他……

果香味越来越浓，我跟着唐飞冲进厨房。原来，是猴子在烧烤水果。他蹲在灶台上，煤气灶上的火在

熊熊燃烧，火上堆着几个苹果、几根香蕉。

所有的人都目瞪口呆！还是杜真子沉着冷静，她伸手关掉了煤气。已经被烧得黑乎乎的苹果和香蕉，冒着香喷喷的青烟。

唐飞的口水都流出来了："有生以来，我还没有吃过烧烤的水果。我先来根香蕉吧！"

香蕉烫手，唐飞吹着气，两手哆哆嗦嗦地剥掉被烤焦了的香蕉皮，里面的果肉却是白生生的。唐飞怕烫嘴皮，吹着气咬了一口。马小跳他们都急忙问他好不好吃。他也不回答，只顾吃，直到把一根烧烤香蕉吃完，才说了一句："不是一般化地好吃！"

于是，大家哄抢起来。张达的力气最大，一只手抢了一个苹果，另一只手抢了一根香蕉。毛超的力气最小，被挤到一边去了。后来，还是猴子抢了一根香蕉给毛超吃。

马小跳他们一边吃着烧烤的香蕉和苹果，一边却在担心：猴子学会了点燃煤气，以后会不会出危险？

杜真子说："还是早点把猴子送走吧！"

猴子一点也没有意识到他闯了祸，他还得意扬扬地问我："笑猫哥哥，我吃了用火烧熟的东西，是不是就可以慢慢地变成人呢？"

想变成人的猴子

第五天 天气：冬天的太阳是可爱的，夏天的太阳就很讨厌了。从早晨晒到晚上，感觉所有的东西都是烫的。

马天笑先生有一个习惯：早晨，他喜欢一边在跑步机上跑步，一边看电视里的《早间新闻》。

今天，猴子连早饭都不吃，一早就像模像样地蹲在电视机前面，目不转睛地盯着电视机的屏幕。

我心里觉得好笑。我问他："猴子弟弟，你看得懂吗？"

猴子点点头，又摇摇头："笑猫哥哥，是不是能看懂电视，就可以变成人了？"

我说："我能看懂电视，但我永远不会变成人。"

"你为什么能看懂电视？"

"因为我能听懂人的语言。"

"你为什么能听懂人的语言？"

"因为我从小就生活在人的家里。"

"哦，我现在也生活在人的家里，我也会听懂人话的。"

猴子还不知道，马天笑先生和马小跳已经商量好了，决定明天就把他送回到适合他生存的野生环境里。猴子这几天一门心思地想变成人，还是不要扫他的兴吧！

马天笑先生从跑步机上下来，关掉电视，上班去了。

猴子跳到跑步机上，学着马天笑先生的样子，打开了那个红色的电源开关。

我也想跑跑步，就和猴子一起在跑步机上跑了起来。

"这是跑步机。"我告诉猴子，"人不用到室外去，就可以锻炼身体。"

　　"人为什么要锻炼身体？"

　　我只好笼统地回答："生命在于运动。人想保持体形。"

　　"啊！"猴子又开始想入非非，"现在，我也像人一样地在跑步机上锻炼身体，我也想保持体形。"

　　不一会儿，猴子就跑累了。于是，他又来到了书房。

　　猴子跳上书架，扔了几本厚厚的书在地板上，然后，他到处找马天笑先生的眼镜。他看见马天笑先生看书时，总是戴眼镜的。拉开书桌的抽屉，猴子找到了马天笑先

生的黑框眼镜。他把眼镜架在自己的鼻梁上，坐在一本摊开的书前，装模作样地看起来。

猴子真的好搞笑！

我对猴子说："别看了，我们去玩儿吧！"

猴子头也不抬地说："我不去，我要看书。"

我笑了："你认识书上的字吗？"

猴子摇摇头："不认识。"

"连字都不认识，你看什么书呢？"

猴子有些郁闷："不能看书，怎么变成人呢？"

我被猴子的执着感动了，不再笑话他，郑重其事地问道："猴子弟弟，你为什么这么想变成人？"

"因为我喜欢人。"

"那个把你从山里偷出来的人，你也喜欢吗？"

"不喜欢，他是坏人。我只喜欢好人。"

知道了人分好人和坏人，这是猴子最大的进步。

一道强烈的白光突然在猴子的脸上闪了一下，原来是马小跳躲在门外给猴子拍照。我想：他是要在猴子临走之前，拍些猴子的照片做纪念。

猴子不知道那道光是相机的闪光灯发出的，他一本正经地告诉我，那是闪电，马上就要打雷了。

猴子紧紧地捂住了自己的耳朵。

我只好告诉他，刚才是马小跳在给他照相。

可是，猴子不明白什么是照相。书房里到处都是马小跳妈妈的照片。这些照片用各种各样的相框装起来，有的摆在书架上，有的挂在墙上。

我指着这些照片，对猴子说："你刚才那一刻的样子，就会像这样，用照片永远地保存下来。"

猴子又想入非非了："我都照相了，我是不是可以很快就变成人呢？"

我说："在你的照片上，大家看到的还是一只猴子。"

猴子指着马小跳妈妈的照片："我的照片跟这张照片不一样吗？"

我又忍不住笑了起来。怎么可能是一样的？我告诉猴子："马小跳的妈妈，可是超级漂亮的女人哪！"

猴子捧着马小跳妈妈的照片看了半天："哦，这个样子的女人就是超级漂亮的女人。真不能想象，这么漂亮的女人是猴子变的。"

　　猴子现在是走火入魔了，生拉硬扯地要把人和猴子扯到一起来。

　　猴子明天就要回到大山，开始真正属于他的生活。我必须让他从虚幻的想象中回到现实。我想：最好的办法就是让他照镜子。

　　卫生间里有一面很大的镜子。我让猴子坐在镜子前面的梳妆台上，又把马小跳妈妈的照片，立在他的身边，然后让他看镜子。

　　"看，这是你，那是马小跳的妈妈。不一样吧？你再仔细地看看，其实猴子和人有很多不一样的地方……"

　　"总有一天会一样的！"猴子不是一般化地固执，"我相信：我一定会变成人的。"

　　唉，白费工夫。说了半天，猴子还是固执己见。

　　"你们在卫生间里干什么？"马小跳跑了进来，"猴子，你是不是想洗澡？我来帮你洗。"

　　马小跳完全是为了好玩，猴子却又想入非非了：

"笑猫哥哥，你不把我当人，可是有人把我当人！只有人才会给人洗澡。"

马小跳把猴子抱进浴缸里，打开淋浴器的喷头，顿时，像花一样盛开的、温暖的水流就淋在了猴子的身上。马小跳又把他的妈妈用来洗头发的洗发水，抹在猴子的身上，不一会儿，猴子就满身都是散发着茉莉花香的白色泡沫。

洗完澡，马小跳还用吹风机，把猴子身上的毛吹干。

猴子从卫生间里蹦出来，身上散发着一股清新的茉莉花香。他让我闻他身上的香味。

"是不是很香？"猴子又想入非非了，"只有人洗澡的时候，身上才会有这么香的泡泡。"

晚上吃饭时，可能因为想到这是猴子在这个家里的最后一顿晚餐，所以马小跳的妈妈让猴子坐在了餐桌前，还在他的面前放了一个盘子。马小跳不停地往猴子的盘子里夹菜。

"笑猫哥哥，看见没有？"猴子在我的耳边说，"只有人和人才会在一起吃饭。"

马天笑先生心血来潮，他要和猴子干杯。他把盛着红葡萄酒的酒杯放在猴子的一只爪子里，然后用自己的酒杯和猴子碰过杯后，仰头一口干了一杯。猴子的模仿能力真强，他学着马天笑先生那样，也仰头一口干了一杯。

"看见没有，笑猫哥哥？"猴子又在我的耳边说，"只有人和人才会干杯。"

吃过晚饭，看了一会儿电视，我就早早地睡了。猴子却兴奋得睡不着。

不知睡了多久，我开始做梦。我梦见我掉进了大海里，这个海还是香海，海面上浮着一层厚厚的散发着茉莉花香的白色泡沫，白色泡沫把我淹没了，我拼命地挣扎……

我从梦中惊醒了，真的闻到了茉莉花香，而且我的全身都湿透了。我是睡在客厅的地板上的，这会儿，地板上积满了水，水面上漂着白色的泡沫。

出事啦！

我冲进马小跳的爸爸妈妈的房间，叫醒了他们。

紧接着，我又冲进马小跳的房间，叫醒了马小跳。

猴子呢？

猴子正在卫生间里，正是他闯的祸。

原来，猴子在马小跳给他洗澡的时候，记住了淋浴器喷头的开关在哪里，他还记住了茉莉花香的洗发水是装在哪个瓶子里的。当大家都睡熟的时候，他跑到卫生间里来，拧开了喷头，把大半瓶洗发水全倒在自己的身上；但他不知道打开浴缸排水口的开关，所以水从浴缸里漫了出来，把所有的房间都淹了。

马小跳一家忙了大半夜，才把地板上的水弄干。

马小跳的妈妈已经腰酸背痛："唉，这猴子！幸好他明天就要走了。"

马天笑先生已经精疲力竭："是啊，幸好明天就要把他送回去了。"

"笑猫哥哥，他们在说什么？"

我不知道是不是应该把马小跳的爸爸妈妈的话翻译给猴子听。猴子一点也没有意识到他闯祸了，他还一直向我炫耀，他可以像人一样地洗澡了。

回到深山老林

第六天

天气：昨晚的星星又大又亮，像一颗一颗的钻石，镶在黑天鹅绒一样的夜空。我让猴子预测今天的天气。猴子说："天晴，不下雨。"这是我最后一次听猴子的天气预报，比电视台播的天气预报还准。

马天笑先生专门请了一天假，他要亲自开车送猴子回大山。和他一同护送猴子的人除了马小跳，还有唐飞、毛超、张达和杜真子。他们下楼的时候，我也跟着下去了。马天笑先生刚打开车门，我就抢先跳上车。

毛超叫起来："笑猫也要去呀？"

"当然要去。"杜真子把我抱在她的身上，"笑猫和猴子最要好，他最舍不得猴子走。"

毛超说："我还以为我和猴子最要好呢。"

猴子还不知道自己马上就要回到大山里，我们都是去送他的。我一直在犹豫，不知道是不是应该把这一切告诉他。一看到他兴高采烈的样子，话到嘴边，我又咽回去了。

猴子不认识汽车，他以为马天笑先生的越野车，是摆着沙发的小房子。后来，汽车开动了，猴子吃了一惊："嗷，这小房子还会跑！"

一路上，猴子看见有很多"小房子"排着队在路上跑。猴子趴在车窗上，一边看，一边发出怪叫声。

看够了路上会跑的"小房子"，猴子又看路两边的高房子。猴子问我为什么要修那么高的房子。我说，因为城市里的人很多，所以房子如果修得不够高，就不够人们住。

"如果有一天，我变成了人，就也能住在高房子里吗？"

猴子想变成人的念头已经根深蒂固。

我说："住在高房子里一点也不好玩儿，住在大山里才好玩儿。"

猴子说："只有动物才住在大山里。"

我笑起来，在心里对猴子说："所以他们要送你回大山。"

越野车已经开上了高速公路，我们坐在车里的感觉，好像在飞。

天空蓝得透明，看得见很远的地方。

马小跳坐在最前面的一排，坐在马天笑先生的旁边。他两眼紧盯着前方："我已经看见山了。"

唐飞躺在最后一排的座位上，懒洋洋地说："现在还在高速公路上，离山远着呢。"

"真的，我也看见了！"杜真子趴在车窗上，"是山的影子，就像水墨画里的山。"

张达也挤到了车窗旁："我……怎么……看不见？"

"怎么看不见？"唐飞忽地坐了起来，十分霸道地说，"杜真子说看得见就是看得见。杜真子说，就像水墨画里的山……"

杜真子说的每一句话，唐飞都当回事儿。单凭这一点，我就喜欢唐飞。

张达问："水墨……画里的山是……什么样的？"

唐飞又躺了下去："反正不是平的。"

全车的人都笑了，都说："是平的，还叫山吗？"

大山的轮廓越来越清晰了。天边，连绵起伏的群山和蓝天连成了一体。虽然山早已经在眼前了，可越野车还是开了好一会儿，才开到山脚下。

猴子变得有点沉默了，他好像在回忆："这地方怎么这样熟悉？我好像来过这里。"

我问猴子："这里是不是你原来住的地方？"

直到现在，大家也不知道猴子的家在哪里，不知道猴子的爸爸妈妈、兄弟姐妹在哪里。马天笑先生说，这里是野生动物自然保护区，把猴子送到这里来，就是把他送回了家。

越野车开上了盘山公路。山上的树木葱茏，满眼都是绿，不时还能听见一两声清脆的鸟叫声。

"这地方多好啊！"我故意说给猴子听，"在城市里，你根本看不见这么多的树，也听不见这么好听的鸟叫声。"

猴子还是很沉默。看着这些熟悉的景物，他在想什么？

"猴子弟弟，你是不是在想你的爸爸妈妈？想你的兄弟姐妹？是不是在想一大群猴子生活在一起的往事？"

猴子还是很沉默。

"猴子弟弟，你想不想回到爸爸妈妈和兄弟姐妹的身边？"

这一次，猴子不再沉默，他点了点头，说："想！"

我高兴极了："他们就在这大山里，你马上就可以见到他们了！"

"可是——"猴子突然又改变了主意，"我还是想变成人，想过人的生活。"

唉，真是不可救药！现在，我真正明白了什么叫作"执着的信念"。

越野车开到半山腰，马天笑先生把车停在一个大

瀑布旁。大瀑布飞流直下没有三千尺，至少也有两千尺，
水声轰鸣。

马天笑先生说："就把猴子送到这里吧！"

这里虽然已经不见人烟，但毕竟还不是深山老林。

毛超本来就不愿意把猴子送回大山里，刚才猴子在
沉默的时候，他也在沉默。现在，他说话了："如果有
人再把猴子弄走，那可怎么办？"

马小跳说："我们现在就把猴子送回深山老林。"

马天笑先生看看四周的山，摇摇头，说："车开不
进去啊！"

张达拔腿就走："跟……我来……"

一行人跟着张达向深山老林走去。

猴子对马小跳他们的用意似乎有所察觉，他紧紧地
抓住毛超的衣角。在这一群人当中，跟猴子长得最像的
毛超，是猴子最信赖的人。

不一会儿，我们就已经来到了密密的森林里，四周
都是参天大树。大树的枝叶遮天蔽日，森林里阴森可怕，
连勇敢的张达都不敢再往前走了。

"就在这里和猴子告别吧！"

马天笑先生一边说，一边抱了抱猴子，拍了拍他的脸蛋。

每个人都抱过猴子了，我还和猴子贴了贴脸。这时候，猴子已经完全明白人们的意图了。猴子爬到毛超的身上，抱住他就不放。

"好，和猴子一起拍张照片吧！"

马天笑先生给大家拍了一张跟猴子的合影。

该说再见了，可猴子还是紧紧地抱住毛超。

马天笑先生拿出一根香蕉，在猴子的眼前晃了晃。猴子到底还是猴子，他放开毛超，去接香蕉。

马天笑先生把香蕉往树上掷去，香蕉落在了高高的树杈上。猴子飞快地爬上了树。

"快跑！"

一行人转身就跑，拼命地跑。

猴子追上来了。人哪里有猴子跑得快！猴子拉住了毛超的衣角，然后紧紧地抱住他的腿，让他寸步难行。

"再来一次。"马天笑先生拿出第二根香蕉,"这一次,大家要跑得快一点!特别是毛超。"

马天笑先生把香蕉向一条山沟里扔去。我以为这一次猴子不会上当,但猴子毕竟是猴子,他放开毛超,跳下了山沟。

"快跑!"马天笑先生边跑边说,"那条山沟很深,这一次,我们一定能跑掉!"

话音刚落,猴子就追上来了。猴子只追毛超,紧紧地抱住他,不撒手。

毛超哭了:"我们把猴子带回去吧!"

"说什么呀?这大山才是猴子真正的家。"马小跳是坚定的野生动物保护者,"我们干脆坐上汽车。猴子跑得再快,他也追不上汽车吧?"

"猴子肯定会一直跟着汽车跑的。"杜真子也快哭了,"那情景很惨的,我肯定受不了。"

毛超放声大哭:"真是生离死别啊!"

"猴子啊,猴子!"马天笑先生十分严肃地跟猴子面对面地说,"我本来不想这么做的,是你逼得我不得

不这么做了。"

杜真子很紧张地问:"姨父,你要干什么?"

马天笑先生走到一边去,背对着猴子,不知在捣鼓什么。过了一会儿,他又拿了一根香蕉给猴子吃。

猴子到底是猴子,他接过香蕉,十分熟练地剥着香蕉皮。

马天笑先生又叫大家都吃香蕉,还给了我一根香蕉。

我和猴子在一起吃香蕉。猴子一边吃,一边对我说:"往上爬和往下跳都是我们猴子的基本功。这些人还想跟我玩儿?笑猫哥哥,你说吃完香蕉,这些人还会跟我玩儿什么?"

我无话可说。在猴子面前,我觉得很内疚,我一直没有对他说真话。

猴子吃完香蕉,眼皮就开始打架。后来,他的眼睛渐渐睁不开了;最后,他倒在地上了。

"猴子!猴子怎么啦?"

毛超不顾一切向猴子扑去。马天笑先生拉住毛超:

"别紧张。猴子睡着了。我在给猴子的香蕉里放了一粒安眠药。"

我想笑，又笑不出来。这猴子真的跟安眠药和香蕉有缘：他被坏人弄下山时，坏人把安眠药藏在香蕉里给他吃；现在，好人把他送回山时，也把安眠药藏在香蕉里给他吃。

毛超担心猴子躺在这里，会被野兽吃掉。马天笑先生就让大家去捡一些树叶来盖在猴子的身上，把他隐藏起来。

大家回到车里。车开走了，可大家的心里，还牵挂着猴子。

"你们放心吧！"马天笑先生说，"几个小时以后，猴子就会醒过来的。"

马小跳最先高兴起来："几个小时以后，猴子醒过来，也许就把什么都忘了。"

大家七嘴八舌地议论起来，讨论着猴子醒过来以后的事情。

"猴子醒过来以后，根本就不记得他曾经离开过

大山，去过城里。"

"猴子醒过来以后，他突然想起他的爸爸妈妈，想起他必须跟猴群生活在一起，于是，他连夜寻找猴群去了……"

汽车在盘山路上转呀转呀，把我的头都转晕了。我很难受，我想吐。

杜真子心疼地抱紧了我："笑猫，你怎么啦？怎么啦？"

我听见马天笑先生在说："笑猫晕车了。给他吃一粒安眠药吧！"

吃过药以后，我就什么都不知道了。

山洞里来了不速之客

这一天 天气：太阳在云层里穿行，一会儿在云里，一会儿在云外，所以天一会儿阴，一会儿晴；我也觉得一会儿凉，一会儿热。

虽然我很喜欢马小跳的家，但是自从猴子回到深山老林以后，我就开始怀念老老鼠的绿岛夏宫——我的秘密山洞。

我不辞而别。

刚回到翠湖公园，老老鼠就幽灵般地出现在我的身边，他真是神出鬼没的。

我一猫爪拍在老老鼠的肩头："哈哈，我又回来了！"

"可是，我的夏宫……"

"什么你的？那是我的。"我打断老老鼠的话，"你是不是后悔了，想把山洞收回去？"

我朝我的秘密山洞跑去。老老鼠紧跟在我的身后："这个世界真是一天一个样。笑猫老弟，你虽然只离开了几天，可是你不知道，就在这几天里，发生了多么大的变化！"

"老老鼠，我很不喜欢你这么绕来绕去地说话。我怎么没有看出有什么变化？"

"你真的没有看出来吗？唉，猫的眼睛长得那么大，有什么用呢？"

该死的老老鼠，只要有机会，他就要拿我们猫来开涮。

"看见没有？我的绿岛夏宫，现在已经变成花岛夏宫了。"

听老老鼠这么一说，我还真发现四周有变化了：覆盖在秘密山洞上面和悬垂在洞口的绿色藤蔓上，现在开满了白色的小花，整个绿岛就像伸进湖里的花岛。

"知道这种白色的小花叫什么吗？不知道吧？我就料定你不会知道的。"好为猫师的老老鼠摇头晃脑地说，"它有两个名字。"

"怎么会有两个名字？"我急着回到秘密山洞里，"你告诉我它的一个名字就可以了。"

"不！我一定要告诉你它的两个名字。"老老鼠拦住了我的去路，"这种花的一个名字是形容它的样子的，叫六月雪。"

远远看去，一朵朵的小白花真的像一片片的雪花。我想：大概正是因为夏天不可能下雪，所以大家才叫它"六月雪"吧。

"这种花还有一个名字是形容它的香味的，叫七里香。就是说，在七里路以外，都能闻到它的香味。"

我吸吸鼻子："我离这些花还不到一里路，怎么没闻到香味？"

"唉，你到底是年轻啊。等你活到我这把年纪以后，你就知道了。"老老鼠倚老卖老地说，"没有颜色的花，大多数是在傍晚和清晨才发出香味的。"

快到秘密山洞了，我对老老鼠说："好啦，我要进去了，你请回吧！我们明天见！"

"慢！我的话还没有讲完。"老老鼠拦住我，"刚才我讲的是夏宫外面的变化，我还没有讲夏宫里面的变化。"

老老鼠坚持把这个秘密山洞称为"夏宫"。

"什么变化？"我皱起了眉头，努力地猜，"是不是那场暴雨过后，积在山洞里的水……"

老老鼠说："山洞里已经没有积水了。"

我没有耐心再跟老老鼠玩猜谜游戏。我伸出两只爪子揪住老老鼠，把他从地上提溜起来："快说！"

"你把我放下来，我才说。"

我只好把老老鼠又放在地上。老老鼠慢条斯理地说："夏宫已经不是你的夏宫了。"

我勃然大怒，冷笑道："不是我的，难道是你的？"

"也不是我的。"老老鼠仍然是一副慢条斯理的样子，"现在，有一只乌龟住在里面。"

"你怎么不早说？"我怒火万丈，"我现在就进去，一脚把乌龟踢进湖里。"

老老鼠提醒我："这只乌龟有点大呢。"

"你小瞧我？那我就把乌龟推进湖里。"

"你可能推不动呢。"

"我们两个一起推呢？"

我一边说，一边向老老鼠伸出了爪子，带着威胁的意思。

"好鼠不吃眼前亏。"老老鼠机灵得很，"既然你要一意孤行，那么我们就去试一试吧！"

冲进洞里，我一眼就看见了那只乌龟。他的身体岂止是有点大，简直是巨大！

乌龟的头缩在壳里，看起来就像一块没有生命的石头。

老老鼠爬到乌龟的背上，猛跳了一阵，乌龟还是没有把头伸出来。

我生气地敲敲乌龟的背："你以为你装成哑巴，就可以赖在这里不走了吗？老老鼠，你下来，我们推！"

我和老老鼠推得全身发软，乌龟依然纹丝不动。

　　老老鼠不想再推了，他找到了一个说服我的理由："笑猫老弟，你看这夏宫里空荡荡的，一件家具也没有。你吃饭时，总要有一张桌子吧？你就把这只乌龟当桌子吧！"

　　我想了想，觉得老老鼠说得也对，而且以后杜真子或者马小跳他们到这里来看我时，乌龟还可以当他们的凳子。

　　我决定把乌龟留下来，就算给自己添了一件家具。

　　现在，我越来越喜欢这个秘密山洞了。从外面看，它白天是"六月雪岛"，晚上是"七里香岛"。我最喜欢的，当然还是秘密山洞里面新增添的这件家具——既可以当桌子，又可以当凳子。

记忆的相册

雪纳飞·落樱风·著

学生的书稿

Xuesheng
de
Shugao

　　2005 年岁末，还有几天就要到新年了，我得到了一个令人振奋的消息：成都市泡桐树小学六年级一班的同学们，写了十几部书稿，准备拿去拍卖，把卖书稿的钱全部捐给"鸡蛋工程"，让贫困的儿童每天能吃上一个鸡蛋。孩子们的善举让我深受感动，而他们这种用自己的智慧和劳动来献爱心的方式，也让我大为欣赏。我细细地看了他们的

书稿。这些书稿有一个人写的，也有两个人或多人合写的；书稿中，小说、童话、散文、科幻故事、悬疑故事，应有尽有，而且每一部书稿的封面、版式都是孩子们自己设计的。孩子们的善举应该受到鼓励，我用一万元买下了这十几部书稿，作为我的珍藏。

感恩卡

Gan'en Ka

在 2006 年元旦节的那一天，我收到了几十张感恩卡。这些卡片是成都市泡桐树小学六年级一班的同学写给我的。

感谢
杨红樱
阿姨 给了我们
一个
甜美的童年

听说您用
本书打动了我们!
今天,我们用最真诚的
心来 love you!

您的读者:
杨璐

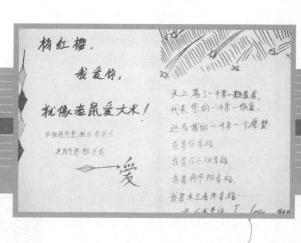

杨红樱,

我爱你,

我像老鼠爱大米!

不但因为您教会表放大
更因为您教会爱

——爱

天上落了一千零一颗星星,
代表您的一千零一份爱,
还有我的一千零一个愿望:
我要您幸福,
我要与小跳幸福,
我要用冬阳幸福,
我要米兰老师幸福……
快乐幸福, I love you

全国"樱桃"总动员

尊敬的杨红樱老师，我衷心地感谢您为孩子们带来了快乐。现在，生活在城市里的孩子们过早地承受着学习的重压，已很少有那种朴实、纯真的童年。直到有一天，我发现女儿和她的许多同学都在谈论着"马小跳"、"笑猫"、"老老鼠"、"地包天"……女儿沉浸在您的书中，不时地向我诉说着那一个个动人的故事。她快乐的神情、幸福的憧憬和真挚的泪水，让我想起了我们年少时的情形。孩子们原本就该是这样幸福和快乐呀！

　　四川攀枝花十八中小学校　　黄晓雪的妈妈

在2007年的全国书市上，山东出版集团、明天出版社和杨红樱向重庆的"铁杆樱桃"赠送最新三种《笑猫日记》

江苏常州的小学校里，"铁杆樱桃"办的读书黑板报

杨红樱阿姨，你是不是神给孩子们派来的快乐使者啊？你新出的那三本《笑猫日记》真是太太太好看了！我把《能闻出孩子味儿的乌龟》、《幸福的鸭子》和《虎皮猫，你在哪里》看了好几遍，依然百看不厌。我很喜欢《幸福的鸭子》里所描写的张达的外婆家，那真是一个世外桃源！同时，我也祝杜真子早日治好她的梦游症。

深圳福田区益田小学五（3）班张铭芝

杨阿姨，我前几天过生日时，几个好朋友送给我的生日礼物居然是您新出的三本《笑猫日记》！当时，我欣喜若狂！让我更高兴的是，在明天出版社举办的"书信架起成长桥"的活动中，我中了三等奖，还得到了一张您的签名照片。同学们都争着看您的照片呢。

内蒙古呼和浩特市赛罕区大学路小学四（2）班　卜云庭雨

亲爱的杨红樱阿姨，我是您最最忠实的书迷。虽然我们没有见过面，但我从您写的书中就能猜到您是一位可亲可敬、美丽而善良的作家。我现在已经有了您所有的作品，包括新出的6本《笑猫日记》。在这些书中，我明白了许多做人的道理。我的爸爸妈妈也希望我多读您的书。

辽宁营口市站前区青年小学六（2）班　李佳欣

图书在版编目（CIP）数据

想变成人的猴子 / 杨红樱著 .—济南：明天出版社，
2006.5（2018.6重印）
（笑猫日记）
ISBN 978-7-5332-5141-3

Ⅰ.①想... Ⅱ.①杨... Ⅲ.①童话—中国—当代
Ⅳ.①I287.7

中国版本图书馆CIP数据核字(2006)第036232号

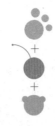

笑猫日记
想变成人的猴子

出版人：傅大伟
出版发行：山东出版传媒股份有限公司
明天出版社
社址：山东省济南市市中区万寿路19号
邮编：250003
http://www.sdpress.com.cn
http://www.tomorrowpub.com
各地新华书店经销
山东新华印务有限责任公司印刷

145毫米×187毫米 32开 5.75印张 8插页 76千字
2006年5月第1版 2018年6月第63次印刷
印数：2972201-3022200
ISBN 978-7-5332-5141-3

定价：20.00元